4주 완성 스케줄표

공부한 날		주	일	학습 내용
월 일		**1**주	도입	이번 주에는 무엇을 공부할까?
			1일	(자연수)÷(자연수) (1), (2)
월 일			2일	(분수)÷(자연수) (1), (2)
월 일			3일	(진분수)÷(자연수), (가분수)÷(자연수)
월 일			4일	(대분수)÷(자연수) (1), (2)
월 일			5일	각기둥 (1), (2)
			평가 / 특강	누구나 100점 맞는 테스트 / 창의·융합·코딩
월 일		**2**주	도입	이번 주에는 무엇을 공부할까?
			1일	각기둥의 전개도 알아보기, 각기둥의 전개도 그리기
월 일			2일	각뿔 (1), (2)
월 일			3일	(소수)÷(자연수) (1), (2)
월 일			4일	(소수)÷(자연수) (3), (4)
월 일			5일	(소수)÷(자연수) (5)
			평가 / 특강	누구나 100점 맞는 테스트 / 창의·융합·코딩
월 일		**3**주	도입	이번 주에는 무엇을 공부할까?
			1일	(자연수)÷(자연수)의 몫을 소수로 나타내기, 소수점의 위치
월 일			2일	두 수 비교하기, 비 알아보기
월 일			3일	비율 알아보기, 비율이 사용되는 경우
월 일			4일	백분율 알아보기, 백분율이 사용되는 경우
월 일			5일	띠그래프 알아보기, 띠그래프로 나타내기
			평가 / 특강	누구나 100점 맞는 테스트 / 창의·융합·코딩
월 일		**4**주	도입	이번 주에는 무엇을 공부할까?
			1일	원그래프 알아보기, 원그래프로 나타내기
월 일			2일	직육면체의 부피 비교하기, 1㎤ 알아보기
월 일			3일	직육면체의 부피 구하기, 정육면체의 부피 구하기
월 일			4일	㎥ 알아보기 (1), (2)
월 일			5일	직육면체의 겉넓이 구하기, 정육면체의 겉넓이 구하기
			평가 / 특강	누구나 100점 맞는 테스트 / 창의·융합·코딩

Chunjae
Maketh
Chunjae

▼

기획총괄	박금옥
편집개발	윤경옥, 박초아, 조선현, 김연정, 김수정, 김유림
디자인총괄	김희정
표지디자인	윤순미, 안채리
내지디자인	박희춘, 이혜미
제작	황성진, 조규영
발행일	2020년 11월 15일 초판 2021년 12월 15일 2쇄
발행인	(주)천재교육
주소	서울시 금천구 가산로9길 54
신고번호	제2001-000018호
고객센터	1577-0902

똑똑한 하루 수학 6·1

> 배우고 때로 익히면
> 또한 기쁘지 아니한가.
> - 공자 -

주별 Contents

똑똑한 하루 수학

이 책의 특징

도입 이번 주에는 무엇을 공부할까?

이번 주에 공부할 내용을 만화로 재미있게!

반드시 알아야
할 개념을
쉽고 재미있는
만화로 확인!

개념 완성 개념·원리 확인

교과서 개념을 만화로 쏙쏙!

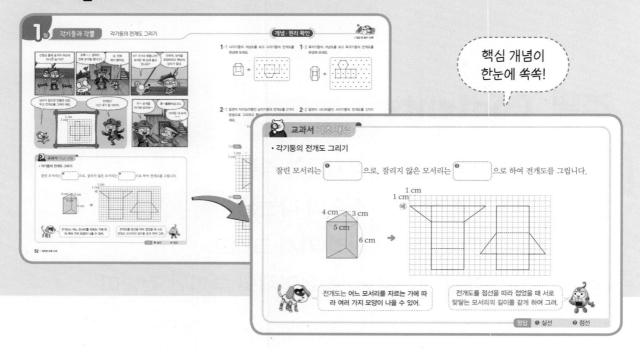

핵심 개념이
한눈에 쏙쏙!

기초 집중 연습

반드시 알아야 할 문제를 반복하여 완벽하게 익히기!

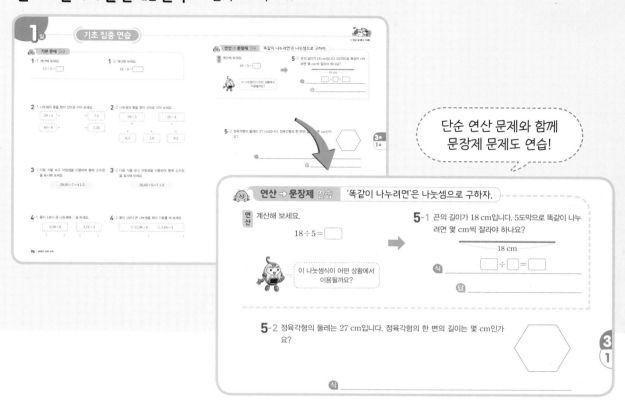

단순 연산 문제와 함께
문장제 문제도 연습!

연산 → 문장제 연습 '똑같이 나누려면'은 나눗셈으로 구하자.

연산 계산해 보세요.

$$18 \div 5 = \boxed{}$$

이 나눗셈식이 어떤 상황에서
이용될까요?

5-1 끈의 길이가 18 cm입니다. 5도막으로 똑같이 나누려면 몇 cm씩 잘라야 하나요?

18 cm

식 $\boxed{} \div \boxed{} = \boxed{}$

답 _____

5-2 정육각형의 둘레는 27 cm입니다. 정육각형의 한 변의 길이는 몇 cm인가요?

식 _____

평가 + 창의·융합·코딩

한 주에 배운 내용을 테스트로 마무리!

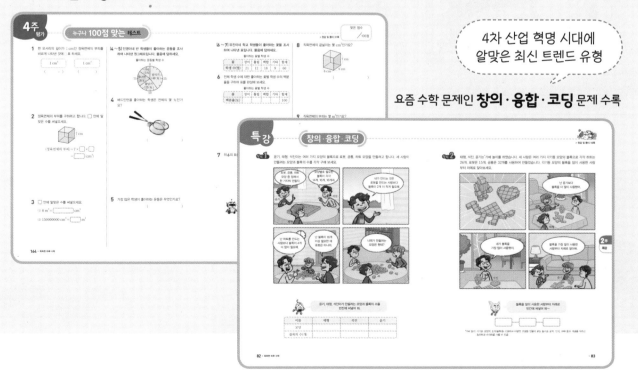

4차 산업 혁명 시대에
알맞은 최신 트렌드 유형

요즘 수학 문제인 **창의·융합·코딩** 문제 수록

분수의 나눗셈
~ 각기둥과 각뿔

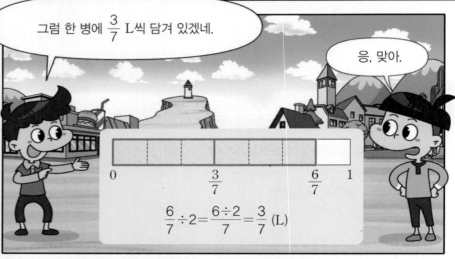

1일 (자연수)÷(자연수)　　　　**2일** (분수)÷(자연수)
3일 (진분수)÷(자연수), (가분수)÷(자연수)
4일 (대분수)÷(자연수)　　　　**5일** 각기둥

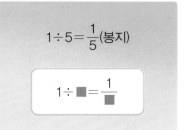

5-2 분수의 곱셈

(대분수)×(자연수), (자연수)×(대분수)는 대분수를 가분수로 바꾸어 계산할 수 있어.

또, 대분수를 자연수와 진분수의 합으로 바꾸어 계산할 수도 있지.

1-1 빈 곳에 알맞은 수를 써넣으세요.

$3\frac{1}{9}$ ×5

1-2 빈 곳에 알맞은 수를 써넣으세요.

9 ×$2\frac{2}{7}$

2-1 ○ 안에 >, =, <를 알맞게 써넣으세요.

(1) $\frac{1}{7} \times \frac{1}{9}$ ○ $\frac{1}{7}$

(2) $\frac{1}{5} \times \frac{1}{2}$ ○ $\frac{1}{2}$

2-2 더 큰 쪽에 ○표 하세요.

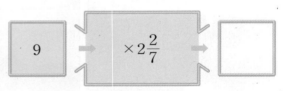

$3 \times 1\frac{1}{2}$ 3

(   )   (   )

5-2 분수의 곱셈

(진분수)×(진분수)의 계산은 분자는 분자끼리, 분모는 분모끼리 곱해.

분자가 1인 단위분수끼리의 곱셈은 분수의 분자는 그대로 두고, 분모끼리 곱해.

3-1 바르게 계산한 사람의 이름을 써 보세요.

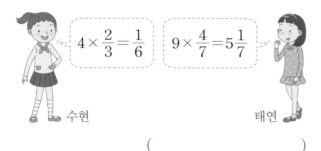

$$4 \times \frac{2}{3} = \frac{1}{6}$$

$$9 \times \frac{4}{7} = 5\frac{1}{7}$$

수현

태연

( )

3-2 바르게 계산한 사람의 이름을 써 보세요.

영탁

$$\frac{3}{5} \times 7 = \frac{3}{35}$$

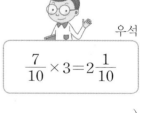

우석

$$\frac{7}{10} \times 3 = 2\frac{1}{10}$$

( )

4-1 길이가 $\frac{5}{9}$ m인 색 테이프의 $\frac{3}{8}$ 을 사용하여 꽃 모양을 만들었습니다. 꽃 모양을 만드는 데 사용한 색 테이프의 길이는 몇 m인가요?

( )

4-2 선물을 포장하는 데 길이가 $\frac{7}{12}$ m인 리본의 $\frac{8}{15}$ 을 사용했습니다. 사용한 리본의 길이는 몇 m인가요?

( )

교과서 기초 개념

(예) 2÷3의 몫을 분수로 나타내기

$\dfrac{1}{3}$

$\dfrac{1}{3}$

$$2 \div 3 \text{은 } \dfrac{1}{3} \text{이 } \boxed{}^{\textbf{①}} \text{개이므로 } \dfrac{2}{3} \text{입니다.}$$

(자연수)÷(자연수)의 몫은 나누어지는 수를 분자, 나누는 수를 분모로 하는 분수로 나타낼 수 있어.

1÷(자연수)의 몫은 1을 분자, 나누는 수를 분모로 하는 분수로 나타낼 수 있지.

정답 ① 2

1-1 그림을 보고 ☐ 안에 알맞은 수를 써넣으세요.

$$1 \div 5 = \frac{\square}{\square}$$

1-2 그림을 보고 ☐ 안에 알맞은 수를 써넣으세요.

$$3 \div 4 = \frac{\square}{\square}$$

2-1 ☐ 안에 알맞은 수를 써넣으세요.

$$1 \div 7 = \frac{1}{7}, \ 3 \div 7 은 \ \frac{1}{7} 이 \ \square 개$$

$$\rightarrow 3 \div 7 = \frac{\square}{\square}$$

2-2 ☐ 안에 알맞은 수를 써넣으세요.

$$1 \div 6 = \frac{1}{6}, \ 5 \div 6 은 \ \frac{1}{6} 이 \ \square 개$$

$$\rightarrow 5 \div 6 = \frac{\square}{\square}$$

1주
1일

3-1 나눗셈의 몫을 분수로 나타내세요.

(1) $1 \div 3$ (2) $9 \div 20$

3-2 나눗셈의 몫을 분수로 나타내세요.

(1) $4 \div 9$ (2) $7 \div 11$

4-1 빈 곳에 알맞은 분수를 써넣으세요.

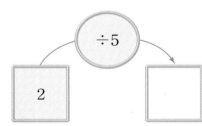

4-2 작은 수를 큰 수로 나눈 몫을 빈 곳에 분수로 써 넣으세요.

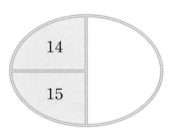

나비야~ 이리 와 봐.

이젠 불러도 오지 않네.

이래도 안 와? 간식 줄 건데~

냐아앙~~~

이거 요즘 핫하다는 고양이 간식이래. 살쪘으니 조금씩만 먹자.

7조각짜린데 반으로 나눠서 먹자.

7÷2는 $\frac{1}{2}$이 7개이므로 $\frac{7}{2}$입니다.

이것을 대분수로 나타내면 $3\frac{1}{2}$입니다.

$3\frac{1}{2}$조각은 간에 기별도 안 온다옹~

으아아악!! 알았어!! 아파, 아프다고~~~!!

교과서 기초 개념

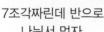

예) 5÷3의 몫을 분수로 나타내기

1 ÷ 3은 $\frac{1}{3}$입니다.

5 ÷ 3은 $\frac{1}{3}$이 ❶ ☐ 개입니다.

$\frac{1}{3}$

$\frac{1}{3}$이 5개

$1\frac{2}{3}$

따라서 **5 ÷ 3** = $\dfrac{❷☐}{3}$ = $1\frac{2}{3}$입니다.

가분수를 대분수로 나타내는 방법은
$\frac{\blacktriangle}{\blacksquare}$ → ▲ ÷ ■ = ● ⋯ ★ → $\frac{\blacktriangle}{\blacksquare}$ = ●$\frac{★}{\blacksquare}$

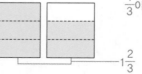

아~ ▲ ÷ ■의 몫은 자연수 부분에, 나머지는 분자 부분에 쓰면 되는구나.

정답 ❶ 5   ❷ 5

1-1 그림을 보고 ☐ 안에 알맞은 수를 써넣으세요.

$$5 \div 4 = \dfrac{\boxed{}}{\boxed{}} = \boxed{}\dfrac{\boxed{}}{\boxed{}}$$

1-2 그림을 보고 ☐ 안에 알맞은 수를 써넣으세요.

$$4 \div 3 = \dfrac{\boxed{}}{\boxed{}} = \boxed{}\dfrac{\boxed{}}{\boxed{}}$$

2-1 ☐ 안에 알맞은 수를 써넣으세요.

$$1 \div 5 = \frac{1}{5}, \ 7 \div 5는 \ \frac{1}{5}이 \ \boxed{}개$$

$$\rightarrow 7 \div 5 = \dfrac{\boxed{}}{5} = \boxed{}\dfrac{\boxed{}}{5}$$

2-2 ☐ 안에 알맞은 수를 써넣으세요.

$$1 \div 8 = \frac{1}{8}, \ 9 \div 8은 \ \frac{1}{8}이 \ \boxed{}개$$

$$\rightarrow 9 \div 8 = \dfrac{\boxed{}}{8} = \boxed{}\dfrac{\boxed{}}{8}$$

3-1 나눗셈의 몫을 분수로 나타내세요.

$$10 \div 3$$

3-2 나눗셈의 몫을 분수로 나타내세요.

$$12 \div 7$$

4-1 빈 곳에 알맞은 분수를 써넣으세요.

4-2 빈 곳에 알맞은 분수를 써넣으세요.

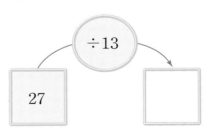

기초 집중 연습

기본 문제 연습

1-1 나눗셈의 몫을 분수로 나타내세요.

$$6 \div 25$$

( )

1-2 나눗셈의 몫을 분수로 나타내세요.

$$25 \div 6$$

( )

2-1 작은 수를 큰 수로 나눈 몫을 분수로 나타내세요.

| 13 | 20 |

( )

2-2 큰 수를 작은 수로 나눈 몫을 분수로 나타내세요.

| 17 | 6 |

( )

3-1 잘못 계산한 사람은 누구인가요?

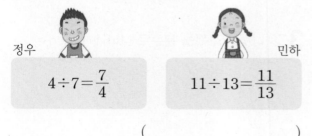

정우

$$4 \div 7 = \frac{7}{4}$$

민하

$$11 \div 13 = \frac{11}{13}$$

( )

3-2 잘못 계산한 사람의 이름을 쓰고, 바르게 계산한 몫을 분수로 나타내세요.

- 수아: $14 \div 9 = 1\frac{5}{9}$
- 진수: $50 \div 49 = \frac{49}{50}$

( ), ( )

4-1 ◯ 안에 >, =, <를 알맞게 써넣으세요.

$$1 \div 25 \bigcirc \frac{1}{24}$$

4-2 ◯ 안에 >, =, <를 알맞게 써넣으세요.

$$18 \div 7 \bigcirc 1\frac{5}{7}$$

연산 → 문장제 연습 '똑같이 나누었다'는 나눗셈으로 구하자.

 나눗셈의 몫을 분수로 나타내세요.

$$3 \div 8$$

 3÷8은 문장으로 어떻게 표현될까요?

5-1 주스 3 L를 8일 동안 똑같이 나누어 마시려고 합니다. 하루에 마셔야 할 주스의 양은 몇 L인가요?

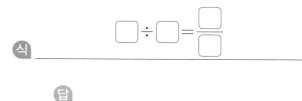

식 _____

답 _____

5-2 넓이가 9 m²인 텃밭에 다음과 같은 4종류의 채소를 똑같은 넓이로 나누어 심으려고 합니다. 오이를 심을 텃밭의 넓이는 몇 m²인가요?

| 오이 | 고추 | 배추 | 토마토 |

식 _____

답 _____

5-3 길이가 6 m인 철사를 똑같은 길이로 4번 잘라 5도막을 만들었습니다. 자른 한 도막의 길이는 몇 m인가요?

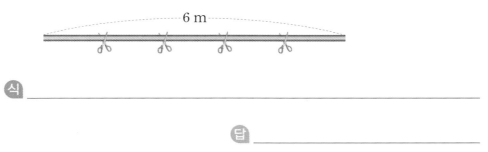

6 m

식 _____

답 _____

1주 1일

$$\frac{3}{5} \text{은} \frac{1}{5} \text{이 3개이고 } 3 \div 3 = 1 \text{이므로}$$

$$\frac{3}{5} \div 3 = \frac{3 \div 3}{5} = \frac{1}{5}$$

교과서 기초 개념

예 $\frac{4}{5} \div 2$의 **계산** ─ 분자가 자연수의 배수인 나눗셈

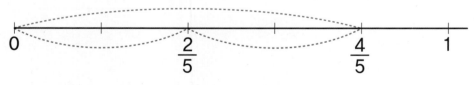

$$\frac{4}{5} \text{는} \frac{1}{5} \text{이 } \boxed{❶} \text{ 개이고 } 4 \div 2 = 2 \text{이므로}$$

$$\frac{4}{5} \div 2 = \frac{4 \div 2}{5} = \frac{\boxed{❷}}{5}$$

분자가 자연수의 배수일 때에는 분자를 자연수로 나눠.

$$▲ \div ● = ★ \Rightarrow \frac{▲}{■} \div ● = \frac{▲ \div ●}{■} = \frac{★}{■}$$

정답 ❶ 4   ❷ 2

1-1 그림을 보고 ☐ 안에 알맞은 수를 써넣으세요.

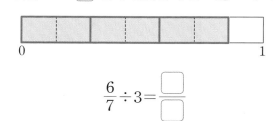

$$\frac{6}{7} \div 3 = \frac{\boxed{}}{\boxed{}}$$

1-2 그림을 보고 ☐ 안에 알맞은 수를 써넣으세요.

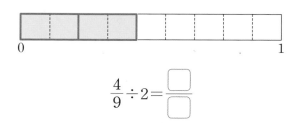

$$\frac{4}{9} \div 2 = \frac{\boxed{}}{\boxed{}}$$

2-1 ☐ 안에 알맞은 수를 써넣으세요.

$$\frac{8}{11} \div 4 = \frac{\boxed{} \div 4}{11} = \frac{\boxed{}}{11}$$

2-2 ☐ 안에 알맞은 수를 써넣으세요.

$$\frac{9}{10} \div 3 = \frac{9 \div \boxed{}}{10} = \frac{\boxed{}}{10}$$

3-1 계산해 보세요.

(1) $\dfrac{10}{13} \div 5$

(2) $\dfrac{14}{15} \div 2$

3-2 계산해 보세요.

(1) $\dfrac{12}{17} \div 4$

(2) $\dfrac{24}{29} \div 6$

4-1 계산 결과를 찾아 선으로 이어 보세요.

$$\boxed{\frac{10}{14} \div 2}$$ ·

· $\dfrac{5}{7}$

· $\dfrac{5}{14}$

4-2 계산 결과를 찾아 선으로 이어 보세요.

$$\boxed{\frac{21}{25} \div 7}$$ ·

· $\dfrac{3}{25}$

· $\dfrac{4}{25}$

1주
2일

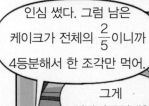

교과서 기초 개념

예) $\frac{3}{4} \div 2$의 계산 ― 분자가 자연수의 배수가 아닌 나눗셈

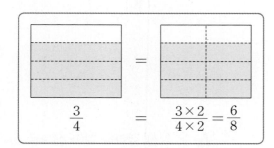

$$\frac{3}{4} = \frac{3 \times 2}{4 \times 2} = \frac{6}{8} \qquad \frac{3}{4} \div 2 = \frac{6}{8} \div 2$$

$\frac{3}{4} = \frac{6}{8}$, $\frac{6}{8}$은 $\frac{1}{8}$이 6개이고 $6 \div 2 = 3$이므로

$$\frac{3}{4} \div 2 = \frac{6}{8} \div 2 = \frac{6 \div \boxed{①}}{8} = \frac{\boxed{②}}{8}$$

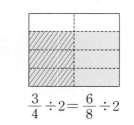

분자가 자연수의 배수가 아닐 때에는 크기가 같은 분수 중에 분자가 자연수의 배수인 수로 바꾸어 계산해.

정답 ❶ 2 ❷ 3

1-1 그림을 보고 ☐ 안에 알맞은 수를 써넣으세요.

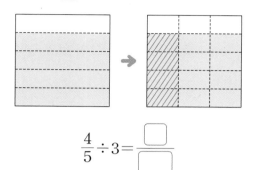

$$\frac{4}{5} \div 3 = \frac{\boxed{}}{\boxed{}}$$

1-2 그림을 보고 ☐ 안에 알맞은 수를 써넣으세요.

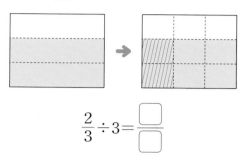

$$\frac{2}{3} \div 3 = \frac{\boxed{}}{\boxed{}}$$

2-1 ☐ 안에 알맞은 수를 써넣으세요.

$$\frac{3}{11} \div 5 = \frac{\boxed{}}{55} \div 5 = \frac{\boxed{} \div 5}{55} = \frac{\boxed{}}{\boxed{}}$$

2-2 ☐ 안에 알맞은 수를 써넣으세요.

$$\frac{5}{9} \div 4 = \frac{\boxed{}}{36} \div 4 = \frac{\boxed{} \div 4}{36} = \frac{\boxed{}}{\boxed{}}$$

3-1 계산해 보세요.

(1) $\frac{7}{10} \div 2$

(2) $\frac{6}{7} \div 5$

3-2 계산해 보세요.

(1) $\frac{8}{15} \div 3$

(2) $\frac{3}{4} \div 10$

4-1 빈 곳에 알맞은 수를 써넣으세요.

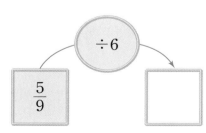

4-2 빈 곳에 알맞은 수를 써넣으세요.

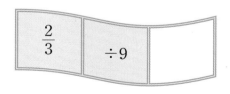

2일 기초 집중 연습

1-1 $\frac{3}{5} \div 4$의 몫을 빗금으로 그어 보고, 분수로 나타내세요.

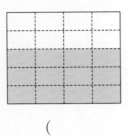

(   )

1-2 $\frac{3}{4} \div 7$의 몫을 빗금으로 그어 보고, 분수로 나타내세요.

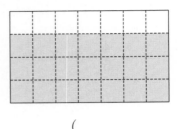

(   )

2-1 분수를 자연수로 나눈 몫을 구하세요.

| $\frac{16}{23}$ | 4 |

(   )

2-2 분수를 자연수로 나눈 몫을 구하세요.

| $\frac{27}{29}$ | 9 |

(   )

3-1 영탁이가 $\frac{7}{12} \div 3$을 잘못 계산한 것입니다. 바르게 고쳐 계산해 보세요.

 영탁

$$\frac{7}{12} \div 3 = \frac{7}{12 \div 3} = \frac{7}{4} = 1\frac{3}{4}$$

_____

3-2 준희가 $\frac{9}{10} \div 5$를 잘못 계산한 것입니다. 바르게 고쳐 계산해 보세요.

 준희

$$\frac{9}{10} \div 5 = \frac{9 \times 5}{10} = \frac{45}{10} = 4\frac{5}{10}$$

_____

4-1 ◯ 안에 >, =, <를 알맞게 써넣으세요.

$$\frac{24}{25} \div 8 \bigcirc \frac{1}{25}$$

4-2 ◯ 안에 >, =, <를 알맞게 써넣으세요.

$$\frac{5}{7} \div 2 \bigcirc \frac{3}{14}$$

연산 → 문장제 연습 | 정삼각형의 한 변은 전체 길이를 3으로 나누어 구하자.

연산 계산해 보세요.

$$\frac{18}{25} \div 3$$

 $\frac{18}{25} \div 3$은 문장으로 어떻게 표현될까요?

5-1 길이가 $\frac{18}{25}$ m인 리본을 겹치지 않게 모두 사용하여 정삼각형을 만들었습니다. 이 정삼각형의 한 변의 길이는 몇 m인가요?

식

답 _____

5-2 길이가 $\frac{15}{17}$ m인 철사를 겹치지 않게 모두 사용하여 정삼각형을 만들었습니다. 이 정삼각형의 한 변의 길이는 몇 m인가요?

식 _____

답 _____

5-3 길이가 $\frac{7}{8}$ m인 철사를 모두 사용하여 가장 큰 정사각형을 만들었습니다. 이 정사각형의 한 변의 길이는 몇 m인가요?

식 _____

답 _____

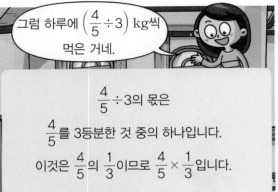

그림 하루에 $\left(\dfrac{4}{5} \div 3\right)$ kg씩 먹은 거네.

$\dfrac{4}{5} \div 3$의 몫은

$\dfrac{4}{5}$를 3등분한 것 중의 하나입니다.

이것은 $\dfrac{4}{5}$의 $\dfrac{1}{3}$이므로 $\dfrac{4}{5} \times \dfrac{1}{3}$입니다.

교과서 기초 개념

예) $\dfrac{5}{6} \div 4$를 분수의 곱셈으로 나타내기

4등분

$\dfrac{5}{6}$를 4등분한 것 중의 하나

→ $\dfrac{5}{6}$의 $\dfrac{1}{4}$이므로 $\dfrac{5}{6} \times \dfrac{1}{4}$

$$\dfrac{5}{6} \div 4 = \dfrac{5}{6} \times \dfrac{1}{❶} = \dfrac{5}{❷}$$

(진분수) ÷ (자연수)는 분수의 분모에 **자연수를 곱하여** 계산하거나

자연수를 $\dfrac{1}{(자연수)}$로 바꾼 다음 곱하여 계산해.

정답 ❶ 4   ❷ 24

1-1 그림을 보고 ☐ 안에 알맞은 수를 써넣으세요.

$$\frac{1}{4} \div 3 = \frac{1}{4} \times \frac{1}{\boxed{}} = \frac{1}{\boxed{}}$$

1-2 그림을 보고 ☐ 안에 알맞은 수를 써넣으세요.

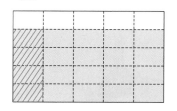

$$\frac{4}{5} \div 5 = \frac{4}{5} \times \frac{1}{\boxed{}} = \frac{4}{\boxed{}}$$

2-1 ☐ 안에 알맞은 수를 써넣으세요.

$$\frac{6}{7} \div 5 = \frac{6}{7} \times \frac{\boxed{}}{\boxed{}} = \frac{\boxed{}}{\boxed{}}$$

2-2 ☐ 안에 알맞은 수를 써넣으세요.

$$\frac{3}{11} \div 2 = \frac{3}{11} \times \frac{\boxed{}}{\boxed{}} = \frac{\boxed{}}{\boxed{}}$$

1주
3일

3-1 관계있는 것끼리 선으로 이어 보세요.

$\frac{7}{8} \div 3$ •   • $\frac{7}{8} \times \frac{1}{3}$

$\frac{3}{8} \div 7$ •   • $\frac{3}{8} \times \frac{1}{7}$

3-2 관계있는 것끼리 선으로 이어 보세요.

$\frac{3}{10} \div 9$ •   • $\frac{4}{9} \times \frac{1}{2}$

$\frac{4}{9} \div 2$ •   • $\frac{3}{10} \times \frac{1}{9}$

[4-1 ~ 4-2] 보기 와 같이 계산해 보세요.

보기

$$\frac{2}{3} \div 9 = \frac{2}{3} \times \frac{1}{9} = \frac{2}{27}$$

4-1 $\frac{3}{4} \div 10$ _____

4-2 $\frac{10}{13} \div 3$ _____

 ### 교과서 기초 개념

예) $\frac{7}{4} \div 3$을 분수의 곱셈으로 나타내어 계산하기

 $\div 3$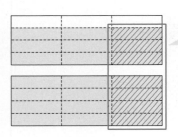

$\frac{7}{4}$을 3등분한 것 중의 하나

→ $\frac{7}{4}$의 $\frac{1}{3}$이므로 $\frac{7}{4} \times \frac{1}{3}$

$$\frac{7}{4} \div 3 = \frac{7}{4} \times \frac{1}{①} = \frac{7}{②}$$

 (가분수) ÷ (자연수)는 분수의 분모에 **자연수를 곱하여** 계산하거나

자연수를 $\frac{1}{(자연수)}$로 바꾼 다음 곱하여 계산해.

정답 ❶ 3   ❷ 12

▶ 정답 및 풀이 **4**쪽

1-1 그림을 보고 ☐ 안에 알맞은 수를 써넣으세요.

$$\frac{3}{2} \div 5 = \frac{3}{2} \times \frac{1}{\boxed{}} = \frac{\boxed{}}{\boxed{}}$$

1-2 그림을 보고 ☐ 안에 알맞은 수를 써넣으세요.

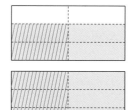

$$\frac{5}{3} \div 2 = \frac{5}{3} \times \frac{1}{\boxed{}} = \frac{\boxed{}}{\boxed{}}$$

2-1 ☐ 안에 알맞은 수를 써넣으세요.

$$\frac{14}{11} \div 3 = \frac{14}{11} \times \frac{1}{\boxed{}} = \frac{\boxed{}}{\boxed{}}$$

2-2 ☐ 안에 알맞은 수를 써넣으세요.

$$\frac{33}{20} \div 7 = \frac{33}{20} \times \frac{1}{\boxed{}} = \frac{\boxed{}}{\boxed{}}$$

3-1 계산해 보세요.

$$\frac{13}{4} \div 6$$

3-2 계산해 보세요.

$$\frac{66}{19} \div 11$$

4-1 [보기]와 같이 계산해 보세요.

> [보기]
> $$\frac{10}{7} \div 7 = \frac{10}{7} \times \frac{1}{7} = \frac{10}{49}$$

$$\frac{9}{4} \div 8 \underline{\hspace{6cm}}$$

4-2 [보기]와 같이 계산해 보세요.

> [보기]
>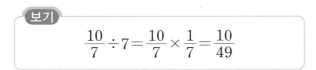

$$\frac{54}{13} \div 9 \underline{\hspace{6cm}}$$

3일 기초 집중 연습

기본 문제 연습

1-1 $\frac{6}{7} \div 5$를 곱셈으로 바르게 나타낸 것에 ○표 하세요.

$$\frac{6}{7} \times \frac{1}{5}$$

$$\frac{7}{6} \times 5$$

( ) ( )

1-2 $\frac{14}{9} \div 3$을 곱셈으로 바르게 나타낸 것에 ○표 하세요.

$$\frac{9}{14} \times \frac{1}{3}$$

$$\frac{14}{9} \times \frac{1}{3}$$

( ) ( )

2-1 나눗셈을 곱셈으로 나타내어 계산해 보세요.

$$\frac{20}{9} \div 7 \underline{\hspace{6cm}}$$

2-2 나눗셈을 곱셈으로 나타내어 계산해 보세요.

$$\frac{15}{8} \div 4 \underline{\hspace{6cm}}$$

3-1 분수를 자연수로 나눈 몫을 기약분수로 구하세요.

$$\frac{5}{12}$$

$$6$$

( )

3-2 수현이가 말한 수를 민호가 말한 수로 나누어 몫을 구하세요.

수현 $\frac{2}{3}$ 15 민호

( )

4-1 더 큰 쪽에 ○표 하세요.

$$\frac{13}{11} \div 2$$

$$\frac{15}{22}$$

( ) ( )

4-2 인형의 무게입니다. 더 무거운 것에 ○표 하세요.

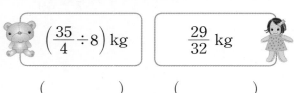

$$\left(\frac{35}{4} \div 8\right) \text{kg}$$

$$\frac{29}{32} \text{kg}$$

( ) ( )

기초 → 문장제 연습   '■는 ▲의 몇 배'는 ■÷▲로 구하자.

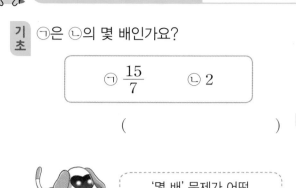

기초 ㉠은 ㉡의 몇 배인가요?

> ㉠ $\dfrac{15}{7}$ ㉡ 2

(   )

'몇 배' 문제가 어떤
상황에서 이용될까요?

5-1 유진이가 캔 감자의 양은 $\dfrac{15}{7}$ kg이고, 진호가 캔 감자의 양은 2 kg입니다. 유진이가 캔 감자의 양은 진호가 캔 감자의 양의 몇 배인가요?

식 $\dfrac{\Box}{\Box} \div \Box = \Box$

답 _____

5-2 서율이는 $\dfrac{9}{10}$ m 길이의 리본을, 재호는 4 m 길이의 리본을 가지고 있습니다. 서율이가 가지고 있는 리본의 길이는 재호가 가지고 있는 리본의 길이의 몇 배인가요?

식 _____

답 _____

5-3 윤주네 집에서 학교와 공원까지의 거리입니다. 윤주네 집에서 학교까지의 거리는 윤주네 집에서 공원까지의 거리의 몇 배인가요?

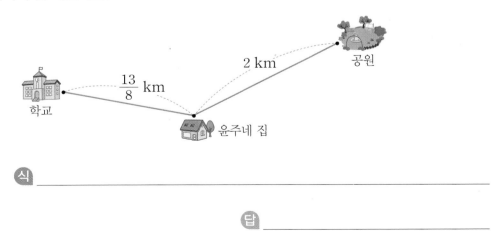

학교 $\dfrac{13}{8}$ km   윤주네 집   2 km   공원

식 _____

답 _____

 교과서 기초 개념

예 $2\frac{1}{4} \div 3$의 **계산** — 분자가 자연수의 배수인 나눗셈

방법 1 **대분수를** 가분수로 바꾸고 분자를 **3**으로 나누어 **계산**

$$2\frac{1}{4} \div 3 = \frac{9}{4} \div 3 = \frac{9 \div 3}{4} = \frac{\boxed{❶}}{4}$$

방법 2 **대분수를** 가분수로 바꾸고 나눗셈을 곱셈으로 나타내어 **계산**

$$2\frac{1}{4} \div 3 = \frac{9}{4} \div 3 = \frac{\overset{3}{\cancel{9}}}{4} \times \frac{1}{\underset{1}{\cancel{3}}} = \frac{\boxed{❷}}{4}$$

정답 ❶ 3   ❷ 3

1-1 ☐ 안에 알맞은 수를 써넣으세요.

$$2\frac{4}{7} \div 9 = \frac{\boxed{}}{7} \div 9 = \frac{\boxed{} \div 9}{7} = \frac{\boxed{}}{7}$$

1-2 ☐ 안에 알맞은 수를 써넣으세요.

$$3\frac{3}{4} \div 5 = \frac{\boxed{}}{4} \div 5 = \frac{\boxed{} \div 5}{4} = \frac{\boxed{}}{4}$$

2-1 ☐ 안에 알맞은 수를 써넣으세요.

(1) $1\frac{5}{9} \div 7 = \frac{\boxed{}}{9} \times \frac{1}{\boxed{}} = \frac{\boxed{}}{9}$

(2) $5\frac{1}{3} \div 8 = \frac{\boxed{}}{3} \times \frac{1}{\boxed{}} = \frac{\boxed{}}{3}$

2-2 ☐ 안에 알맞은 수를 써넣으세요.

(1) $4\frac{2}{5} \div 11 = \frac{\boxed{}}{5} \times \frac{1}{\boxed{}} = \frac{\boxed{}}{5}$

(2) $3\frac{1}{13} \div 10 = \frac{\boxed{}}{13} \times \frac{1}{\boxed{}} = \frac{\boxed{}}{13}$

1주
4일

3-1 계산해 보세요.

(1) $2\frac{5}{8} \div 3$

(2) $3\frac{1}{5} \div 2$

3-2 계산해 보세요.

(1) $5\frac{1}{11} \div 8$

(2) $3\frac{1}{9} \div 4$

[**4**-1 ~ **4**-2] 보기와 같이 계산해 보세요.

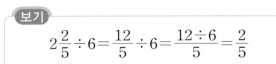

보기
$$2\frac{2}{5} \div 6 = \frac{12}{5} \div 6 = \frac{12 \div 6}{5} = \frac{2}{5}$$

4-1 $3\frac{5}{9} \div 4$ _____

4-2 $2\frac{6}{11} \div 7$ _____

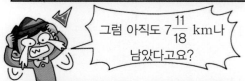

$$15\frac{2}{9} \div 2 = \frac{137}{9} \div 2 = \frac{137}{9} \times \frac{1}{2}$$
$$= \frac{137}{18} = 7\frac{11}{18} \ (km)$$

교과서 기초 개념

예 $1\frac{4}{5} \div 2$의 계산 — 분자가 자연수의 배수가 아닌 나눗셈

방법 1 **대분수를 가분수로 바꾸고 분수의 분자를 2의 배수로 바꾸어 계산**

$$1\frac{4}{5} \div 2 = \frac{9}{5} \div 2 = \frac{18}{\boxed{❶}} \div 2 = \frac{18 \div 2}{10} = \frac{9}{10}$$

방법 2 **대분수를 가분수로 바꾸고 나눗셈을 곱셈으로 나타내어 계산**

$$1\frac{4}{5} \div 2 = \frac{9}{5} \div 2 = \frac{9}{5} \times \frac{1}{\boxed{❷}} = \frac{9}{10}$$

정답 ❶ 10 　　❷ 2

1-1 그림을 보고 □ 안에 알맞은 수를 써넣으세요.

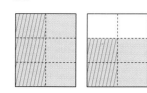

$$1\frac{2}{3} \div 2 = \frac{5}{3} \times \frac{1}{\boxed{}} = \frac{5}{\boxed{}}$$

1-2 그림을 보고 □ 안에 알맞은 수를 써넣으세요.

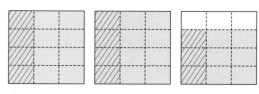

$$2\frac{3}{4} \div 3 = \frac{11}{4} \times \frac{1}{\boxed{}} = \frac{11}{\boxed{}}$$

2-1 □ 안에 알맞은 수를 써넣으세요.

$$2\frac{1}{5} \div 3 = \frac{\boxed{}}{5} \div 3 = \frac{\boxed{}}{15} \div 3 = \frac{\boxed{}}{15}$$

2-2 □ 안에 알맞은 수를 써넣으세요.

$$3\frac{2}{7} \div 5 = \frac{\boxed{}}{7} \div 5 = \frac{\boxed{}}{35} \div 5 = \frac{\boxed{}}{35}$$

3-1 계산해 보세요.

$$4\frac{2}{5} \div 7$$

3-2 계산해 보세요.

$$2\frac{1}{3} \div 6$$

4-1 나눗셈을 곱셈으로 나타내어 계산해 보세요.

$$7\frac{1}{3} \div 9 \underline{\hspace{5cm}}$$

4-2 나눗셈을 곱셈으로 나타내어 계산해 보세요.

$$4\frac{1}{6} \div 4 \underline{\hspace{5cm}}$$

5-1 빈 곳에 알맞은 분수를 써넣으세요.

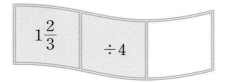

5-2 빈 곳에 알맞은 분수를 써넣으세요.

기초 집중 연습

기본 문제 연습

1-1 계산한 값이 <u>다른</u> 하나에 ○표 하세요.

$$\frac{12}{5} \times \frac{1}{4} \qquad 2\frac{2}{5} \div 4 \qquad \frac{12 \times 4}{5}$$

(   ) (   ) (   )

1-2 계산한 값이 <u>다른</u> 하나에 ○표 하세요.

$$\frac{24 \div 8}{7} \qquad \frac{24}{7} \times 8 \qquad 3\frac{3}{7} \div 8$$

(   ) (   ) (   )

2-1 빈칸에 알맞은 수를 써넣으세요.

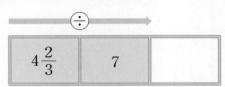

2-2 빈칸에 알맞은 수를 써넣으세요.

$$5\frac{1}{2} \xrightarrow{\div 3} \boxed{}$$

3-1 <u>잘못</u> 계산한 것의 기호를 쓰고, 바르게 계산해 보세요.

$$\bigcirc \ 2\frac{2}{9} \div 4 = \frac{5}{9} \qquad \bigcirc \ 3\frac{5}{6} \div 9 = 34\frac{1}{2}$$

잘못 계산한 것 (   )
바르게 계산한 값 (   )

3-2 <u>잘못</u> 계산한 것의 기호를 쓰고, 바르게 계산해 보세요.

$$\bigcirc \ 1\frac{1}{4} \div 8 = \frac{5}{32} \qquad \bigcirc \ 2\frac{4}{5} \div 3 = 8\frac{2}{5}$$

잘못 계산한 것 (   )
바르게 계산한 값 (   )

4-1 몫이 1보다 큰 나눗셈을 말한 사람은 누구인가요?

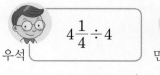
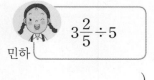

우석 $4\frac{1}{4} \div 4$ 민하 $3\frac{2}{5} \div 5$

(   )

4-2 몫이 1보다 큰 나눗셈을 말한 사람은 누구인가요?

윤수 $5\frac{1}{6} \div 3$ 아라 $7\frac{1}{4} \div 8$

(   )

연산 → 문장제 연습 직사각형의 세로는 (넓이)÷(가로)로 구하자.

 계산해 보세요.

$$4\frac{4}{9} \div 5$$

 $4\frac{4}{9} \div 5$로 계산해야 할 문장제를 알아볼까요?

5-1 가로가 5 m이고 넓이가 $4\frac{4}{9}$ m²인 직사각형이 있습니다. 이 직사각형의 세로는 몇 m인가요?

식 ◻ ÷ ◻ = ◻

답

5-2 가로가 2 cm이고 넓이가 $2\frac{7}{16}$ cm²인 직사각형입니다. 이 직사각형의 세로는 몇 cm인가요?

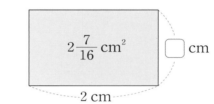

$2\frac{7}{16}$ cm² ◻ cm

2 cm

식

답

5-3 밑변의 길이가 3 m이고 넓이가 $1\frac{2}{5}$ m²인 평행사변형입니다. 이 평행사변형의 높이는 몇 m인가요?

$1\frac{2}{5}$ m²

3 m

식

답

교과서 기초 개념

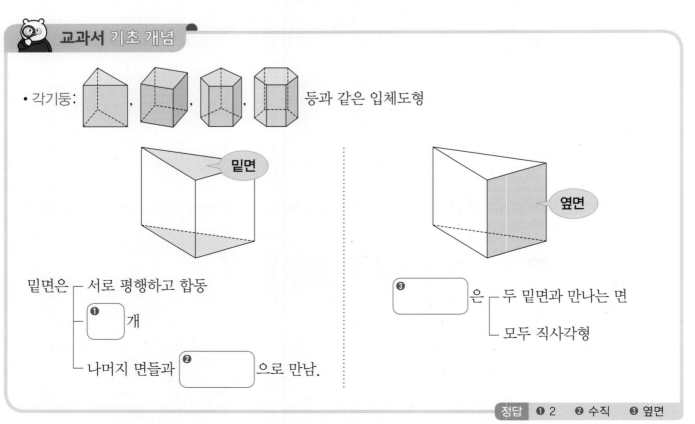

- 각기둥: ▢ , ▢ , ▢ , ▢ 등과 같은 입체도형

밑면

옆면

밑면은 ─ 서로 평행하고 합동

    ├ **❶** ▢ 개

    └ 나머지 면들과 **❷** ▢ 으로 만남.

❸ ▢ 은 ─ 두 밑면과 만나는 면

        └ 모두 직사각형

1-1 각기둥이면 ◯표, 아니면 ✕표 하세요.

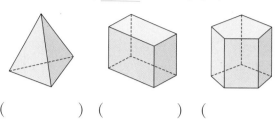

(   ) (   ) (   )

1-2 각기둥을 모두 찾아 기호를 써 보세요.

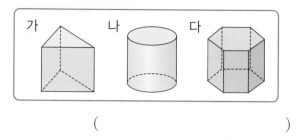

(   )

2-1 각기둥의 겨냥도를 완성해 보세요.

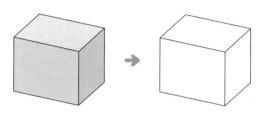

2-2 각기둥의 겨냥도를 완성해 보세요.

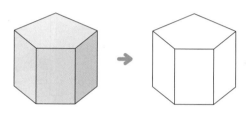

3-1 각기둥에서 두 밑면을 찾아 색칠하세요.

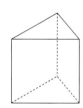

3-2 각기둥에서 두 밑면을 찾아 색칠하세요.

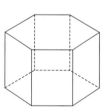

4-1 각기둥에서 두 밑면과 만나는 면은 몇 개인가요?

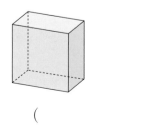

(   )

4-2 각기둥에서 두 밑면과 만나는 면은 몇 개인가요?

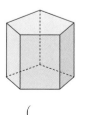

(   )

 교과서 기초 개념

• 각기둥의 이름, 구성 요소

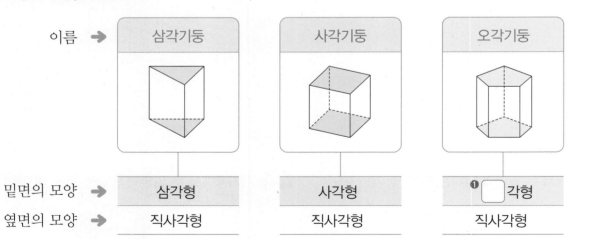

이름 ➡	삼각기둥	사각기둥	오각기둥
밑면의 모양 ➡	삼각형	사각형	❶☐각형
옆면의 모양 ➡	직사각형	직사각형	직사각형

각기둥에서 면과 면이 만나는 선분을 모서리라 하고, 모서리와 모서리가 만나는 점을 꼭짓점이라고 하

며, 두 ❷☐☐ 사이의 거리를 높이라고 합니다.

1-1 각기둥을 보고 물음에 답하세요.

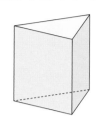

(1) 밑면의 모양은 어떤 다각형인가요?

(   )

(2) 각기둥의 이름을 써 보세요.

(   )

1-2 각기둥을 보고 물음에 답하세요.

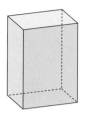

(1) 밑면의 모양은 어떤 다각형인가요?

(   )

(2) 각기둥의 이름을 써 보세요.

(   )

2-1 ☐ 안에 알맞은 말을 써넣으세요.

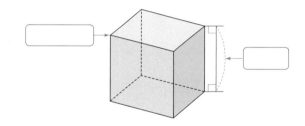

2-2 ☐ 안에 알맞은 말을 써넣으세요.

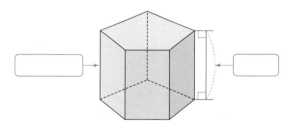

3-1 각기둥을 보고 빈칸에 알맞은 수를 써넣으세요.

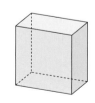

꼭짓점의 수(개)	
면의 수(개)	
모서리의 수(개)	

3-2 각기둥을 보고 빈칸에 알맞은 수를 써넣으세요.

꼭짓점의 수(개)	
면의 수(개)	
모서리의 수(개)	

기초 집중 연습

 기본 문제 연습

1-1 각기둥에서 밑면에 수직인 면은 몇 개인가요?

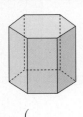

(   )

1-2 각기둥에서 밑면에 수직인 면은 몇 개인가요?

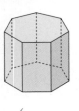

(   )

2-1 태연이가 말하는 각기둥의 이름을 써 보세요.

태연   각기둥인데 밑면의 모양이 삼각형이야.

(   )

2-2 민하가 말하는 각기둥의 이름을 써 보세요.

민하   각기둥인데 밑면의 모양이 팔각형이야.

(   )

3-1 각기둥을 보고 물음에 답하세요.

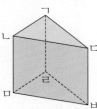

(1) 모서리는 모두 몇 개인가요?

(   )

(2) 높이를 잴 수 있는 모서리를 모두 찾아 써 보세요.

_____

_____

3-2 각기둥을 보고 물음에 답하세요.

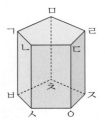

(1) 모서리는 모두 몇 개인가요?

(   )

(2) 높이를 잴 수 있는 모서리를 모두 찾아 써 보세요.

_____

_____

 기초 → 기본 연습 각기둥의 두 밑면은 서로 평행하고 옆면은 두 밑면과 만나는 면

기초 ☐ 안에 알맞은 말을 **보기**에서 찾아 써 넣으세요.

보기
밑면, 옆면

밑면

4-1 맞으면 ○표, 틀리면 ×표 하세요.

(1) 각기둥의 밑면과 옆면은 서로 평행합니다.
.... (   )

(2) 각기둥의 옆면은 모두 직사각형입니다.
.... (   )

4-2 각기둥의 특징을 잘못 말한 사람은 누구인가요?

준희: 각기둥의 두 밑면은 수직으로 만나.

윤수: 각기둥의 두 밑면은 나머지 면들과 모두 수직으로 만나.

답 _____

4-3 각기둥의 특징을 모두 찾아 기호를 써 보세요.

㉠ 밑면은 2개입니다.
㉡ 각기둥의 옆면은 모두 직사각형입니다.
㉢ 밑면과 옆면은 항상 합동입니다.
㉣ 두 밑면은 서로 평행합니다.

답 _____

1 그림을 보고 ☐ 안에 알맞은 수를 써넣으세요.

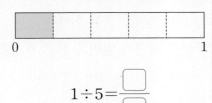

$$1 \div 5 = \dfrac{\boxed{}}{\boxed{}}$$

2 나눗셈을 곱셈으로 바르게 나타낸 사람에 ◯표 하세요.

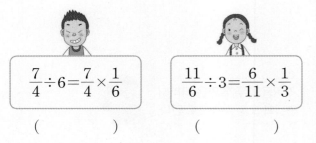

$$\dfrac{7}{4} \div 6 = \dfrac{7}{4} \times \dfrac{1}{6}$$

$$\dfrac{11}{6} \div 3 = \dfrac{6}{11} \times \dfrac{1}{3}$$

(   )   (   )

3 빈 곳에 알맞은 기약분수를 써넣으세요.

$$\dfrac{14}{15} \qquad \div 7$$

4 분수를 자연수로 나눈 몫을 구하세요.

$$4\dfrac{2}{7} \qquad 3$$

(   )

5 보기 와 같이 계산해 보세요.

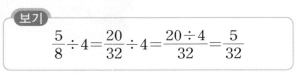

보기

$$\dfrac{5}{8} \div 4 = \dfrac{20}{32} \div 4 = \dfrac{20 \div 4}{32} = \dfrac{5}{32}$$

(1) $\dfrac{4}{9} \div 5$ _____

(2) $\dfrac{2}{3} \div 7$ _____

6 밑면의 모양이 다음과 같은 각기둥의 이름을 써 보세요.

(   )

7 크기를 비교하여 ◯ 안에 >, =, <를 알맞게 써넣으세요.

$$3\frac{1}{5} \div 4 \bigcirc \frac{3}{5}$$

8 물 9 L를 크기가 같은 그릇 5개에 똑같이 나누어 담으려고 합니다. 그릇 1개에 몇 L씩 담아야 하는지 대분수로 나타내세요.

(   )

9 끈 $\frac{8}{9}$ m를 모두 사용하여 가장 큰 정사각형을 만들었습니다. 이 정사각형의 한 변의 길이는 몇 m인가요?

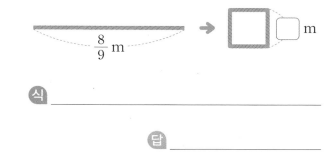

식 _____

답 _____

10 밑면의 모양이 육각형인 각기둥이 있습니다. 이 각기둥의 옆면은 모두 몇 개인가요?

(   )

특강

 하정, 주민, 도진, 현성이는 가져온 샐러드 재료(사과, 귤, 수박, 참외)도, 가져온 재료의 무게(1 kg/1$\frac{1}{2}$ kg/ 2 kg/2$\frac{1}{2}$ kg)도 각각 다릅니다. 그림을 보고 각자 가져온 재료가 무엇이고, 접시 한 군데에 놓아야 할 재료의 무게는 각각 몇 kg인지 구하세요.

이름		가져온 재료	가져온 재료 무게	접시 한 군데에 놓아야 할 재료의 무게
	하정			
	주민			
	도진			
	현성			

 그림을 보고 여러 가지 모양의 각기둥을 각 칸에 알맞게 놓으려고 합니다. 놓을 곳을 찾아 선으로 이어 보세요.

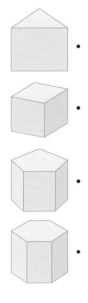

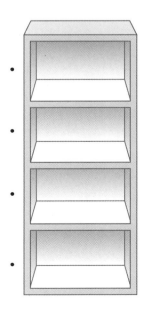

펜타곤(pentagon)은 우리말로 오각형이라는 뜻인데 미국의 국방부인 다음 건물의 이름이기도 합니다. 밑면의 모양이 펜타곤인 각기둥의 이름을 써 보세요.

답 _____

 각기둥의 겨냥도를 완성해 보세요.

(1)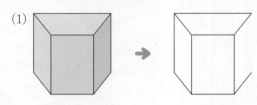

(2)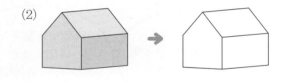

 주어진 식에 알맞은 문제를 보기 의 카드를 이용하여 완성하고 계산해 보세요.

보기

| 주스 2 L | 우유 $1\frac{1}{2}$ L | 식혜 $2\frac{1}{4}$ L | 5명 | 7명 |

문제 [   ] 를 남학생 [   ] 이 남김없이 똑같이 나누어 마셨습니다. 한 명이 마신 음료는 몇 L인지 분수로 나타내세요.

$$2\frac{1}{4} \div 7 = \boxed{}$$

식 _____ 답 _____

 크기가 같은 다른 종류의 피자 2판이 있습니다. 3명이 피자를 종류별로 똑같이 나누어 먹으려고 합니다. 한 명이 먹을 수 있는 피자의 양을 구하는 식을 써 보고, 그림으로 나타내세요.

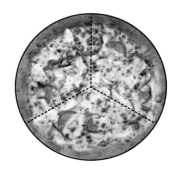 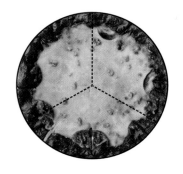

식 _____

 알봇에게 다음의 코딩 프로그램을 실행시켜 빈 대야에 물을 담았습니다. 들이가 $4\frac{2}{7}$ L인 대야에 물이 넘치지 않고 가득 찼다면 병의 들이는 몇 L인가요?

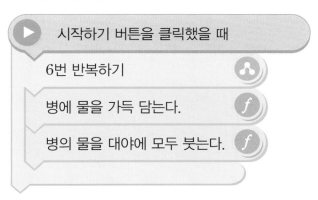

시작하기 버튼을 클릭했을 때

6번 반복하기

병에 물을 가득 담는다.

병의 물을 대야에 모두 붓는다.

 병에 물을 가득 담아 대야에 부었더니 물이 가득 찼어.

알봇

▲ 대야 　　　　　 ▲ 병

답 _____

창의 8 학용품을 종류별로 보관하면 찾아 사용하기 편리합니다. 다음과 같은 각기둥 모양의 상자에 학용품을 종류별로 담아 놓았습니다. 각 상자에 보관하는 학용품의 종류를 ☐ 안에 써넣으세요.

학용품 종류	보관 상자 모양
연필	오각기둥
색연필	삼각기둥
지우개	육각기둥
색종이	사각기둥

☐ ☐ ☐ ☐

융합 9 '연비'란 연료 1 L로 갈 수 있는 거리를 뜻합니다. 연료의 양에 따라 갈 수 있는 거리를 보고 연비가 더 높은 자동차에 ○표 하세요.

연비는 (갈 수 있는 거리)÷(연료의 양)으로 구해.

연료의 양: 5 L

갈 수 있는 거리: $\dfrac{250}{3}$ km

연료의 양: 4 L

갈 수 있는 거리: 73 km

( )　　　　( )

 다음은 떡볶이 3인분을 만드는 데 필요한 재료와 재료의 양입니다. ☐ 안에 알맞은 분수를 써넣으세요.

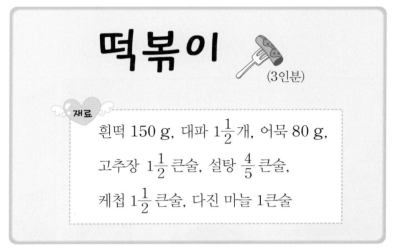

떡볶이 🔨
(3인분)

재료

흰떡 150 g, 대파 $1\frac{1}{2}$개, 어묵 80 g,

고추장 $1\frac{1}{2}$큰술, 설탕 $\frac{4}{5}$큰술,

케첩 $1\frac{1}{2}$큰술, 다진 마늘 1큰술

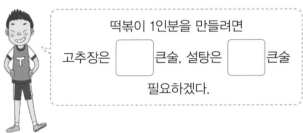

떡볶이 1인분을 만들려면

고추장은 ☐큰술, 설탕은 ☐큰술

필요하겠다.

 ★에 공통으로 들어갈 도형을 써 보세요.

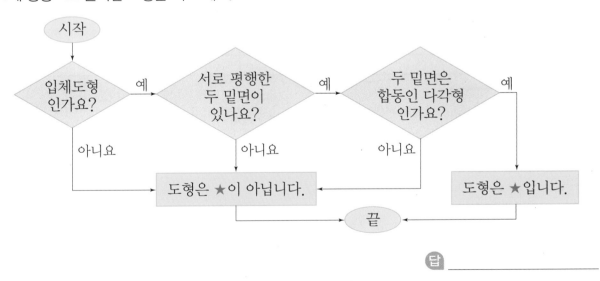

답 _____

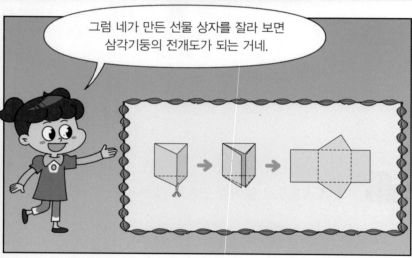

이번 주에는 무엇을 공부할까? ①

5-2 직육면체

 직육면체의 전개도는 직육면체의 모서리를 잘라서 펼친 그림이야.

 직육면체의 전개도에서 잘린 모서리는 실선으로, 잘리지 않은 모서리는 점선으로 나타내.

 직육면체의 전개도를 접었을 때 만나는 모서리의 길이는 같아.

1-1 전개도를 접어서 정육면체를 만들었을 때 색칠한 면과 평행한 면에 색칠하세요.

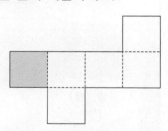

1-2 전개도를 접어서 직육면체를 만들었을 때 색칠한 면과 수직인 면에 모두 색칠하세요.

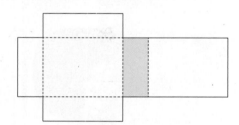

2-1 직육면체의 전개도를 그린 것입니다. ☐ 안에 알맞은 수를 써넣으세요.

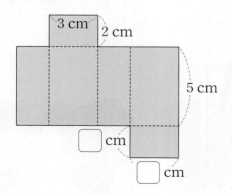

2-2 직육면체의 전개도를 그린 것입니다. ☐ 안에 알맞은 수를 써넣으세요.

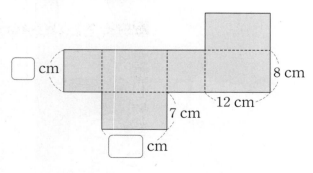

6-1 분수의 나눗셈

(분수)÷(자연수)는 분자를
자연수로 나누어 계산하거나
$\times \dfrac{1}{(\text{자연수})}$ 로 바꾸어 계산해.

분수가 대분수이면 가분수로
나타내어 계산해야 해.

3-1 ☐ 안에 알맞은 수를 써넣으세요.

(1) $\dfrac{5}{8} \div 3 = \dfrac{5}{8} \times \dfrac{1}{\boxed{}} = \dfrac{\boxed{}}{\boxed{}}$

(2) $3\dfrac{1}{3} \div 5 = \dfrac{\boxed{}}{3} \div 5 = \dfrac{\boxed{} \div 5}{3} = \dfrac{\boxed{}}{3}$

3-2 ☐ 안에 알맞은 수를 써넣으세요.

(1) $\dfrac{9}{7} \div 4 = \dfrac{9}{7} \times \dfrac{1}{\boxed{}} = \dfrac{\boxed{}}{\boxed{}}$

(2) $2\dfrac{2}{5} \div 2 = \dfrac{\boxed{}}{5} \div 2 = \dfrac{\boxed{} \div 2}{5}$

$= \dfrac{\boxed{}}{5} = \boxed{}\dfrac{\boxed{}}{5}$

4-1 빈칸에 알맞은 수를 써넣으세요.

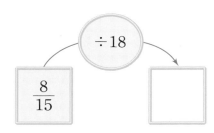

4-2 빈칸에 알맞은 수를 써넣으세요.

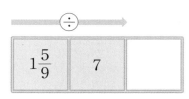

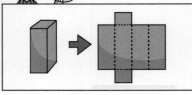

교과서 기초 개념

• 각기둥의 전개도 알아보기

각기둥의 전개도: 각기둥의 **모서리를 잘라서** 평면 위에 **펼쳐 놓은 그림**

예 삼각기둥의 전개도

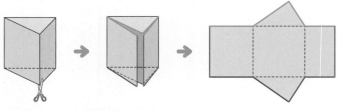

전개도에서 밑면은 삼각형 ❶⬜ 개, 옆면은 직사각형 ❷⬜ 개로 이루어져 있습니다.

 전개도를 삼각기둥 모양으로 접을 때 서로 만나는 선분끼리 같은 색으로 표시했어.

 전개도에서 같은 색으로 표시한 부분의 길이는 같아.

정답　❶ 2　　❷ 3

1-1 어떤 입체도형의 전개도인지 써 보세요.

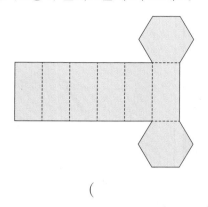

(   )

1-2 어떤 입체도형의 전개도인지 써 보세요.

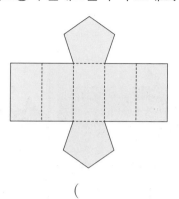

(   )

2-1 전개도를 접었을 때 점 ㄱ과 만나는 점을 모두 찾아 써 보세요.

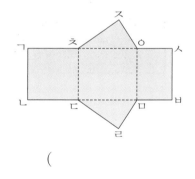

(   )

2-2 전개도를 접었을 때 선분 ㄷㄹ과 만나는 선분을 찾아 써 보세요.

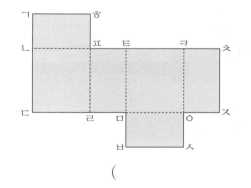

(   )

3-1 전개도를 접어서 각기둥을 만들었습니다. ☐ 안에 알맞은 수를 써넣으세요.

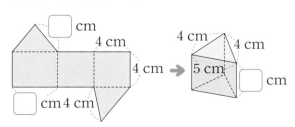

3-2 전개도를 접어서 각기둥을 만들었습니다. ☐ 안에 알맞은 수를 써넣으세요.

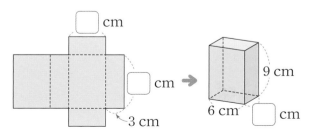

교과서 기초 개념

- **각기둥의 전개도 그리기**

잘린 모서리는 ❶ [   ] 으로, 잘리지 않은 모서리는 ❷ [   ] 으로 하여 전개도를 그립니다.

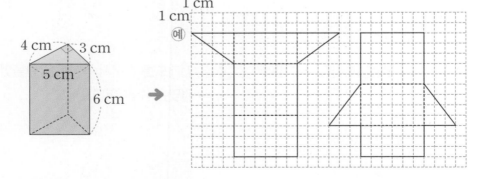

 전개도는 어느 모서리를 자르는 가에 따라 여러 가지 모양이 나올 수 있어.

전개도를 점선을 따라 접었을 때 서로 맞닿는 모서리의 길이를 같게 하여 그려.

정답 ❶ 실선   ❷ 점선

1-1 사각기둥의 겨냥도를 보고 사각기둥의 전개도를 완성해 보세요.

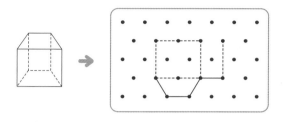

1-2 육각기둥의 겨냥도를 보고 육각기둥의 전개도를 완성해 보세요.

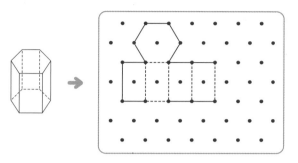

2-1 밑면이 직각삼각형인 삼각기둥의 전개도를 2가지 방법으로 그리려고 합니다. 전개도를 완성해 보세요.

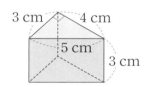

(1) 방법1

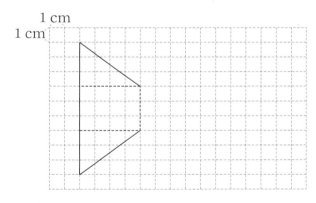

(2) 방법2

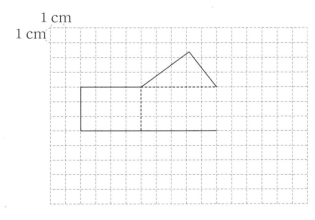

2-2 밑면이 사다리꼴인 사각기둥의 전개도를 2가지 방법으로 그리려고 합니다. 전개도를 완성해 보세요.

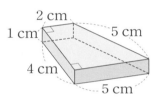

(1) 방법1

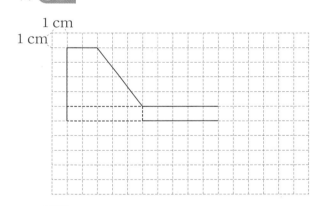

(2) 방법2

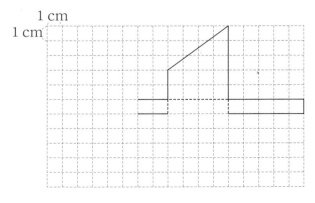

2주
1일

기초 집중 연습

기본 문제 연습

[**1**-1 ~ **1**-2] 전개도를 접으면 어떤 도형이 되는지 써 보세요.

1-1

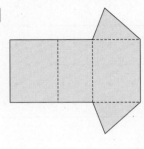

(   )

1-2

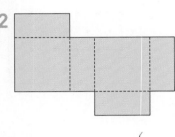

(   )

2-1 밑면이 사다리꼴인 사각기둥의 전개도를 완성해 보세요.

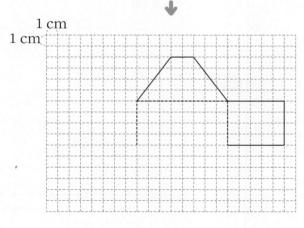

2-2 다음 사각기둥의 전개도를 그려 보세요.

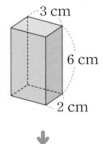

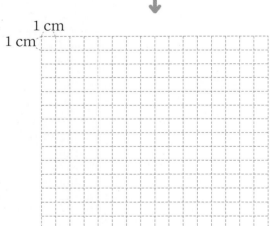

기초 → 기본 연습 | 밑면과 만나는 면은 옆면이므로 옆면을 찾자.

기초 전개도를 접었을 때 밑면과 만나는 면을 모두 찾아 색칠하세요.

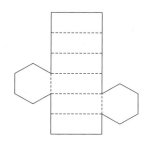

3-1 전개도를 접었을 때 면 ㄹㅁㅂ과 만나는 면을 모두 찾아 써 보세요.

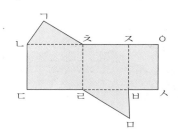

답 _____

3-2 전개도를 접었을 때 면 ㅍㅎㅋㅌ과 만나는 면을 모두 찾아 써 보세요.

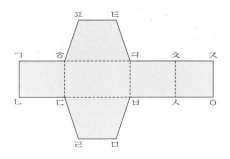

답 _____

3-3 전개도를 접었을 때 선분 ㅂㅅ의 길이는 몇 cm인가요?

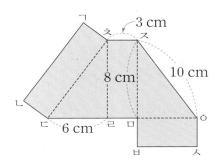

답 _____

교과서 기초 개념

- **각뿔, 각뿔의 밑면과 옆면**

(1) 각뿔: , , 등과 같은 입체도형

> 밑에 놓인 **면**이 다각형이고 옆으로 둘러싼 **면**이 모두 삼각형인 입체도형이 각뿔이야.

(2) 각뿔의 밑면과 옆면

밑면: 면 ㄴㄷㄹㅁ과 같은 면

옆면: 면 ㄱㄴㄷ, 면 ㄱㄷㄹ, 면 ㄱㅁㄹ,

면 ㄱㄴㅁ과 같이 ❶ [   ]과

만나는 면

> 각뿔의 옆면은 모두 삼각형이야.

1-1 각뿔을 모두 찾아 기호를 써 보세요.

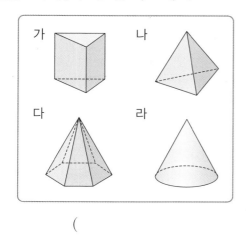

(　　　　　　　　　)

1-2 각뿔을 모두 찾아 기호를 써 보세요.

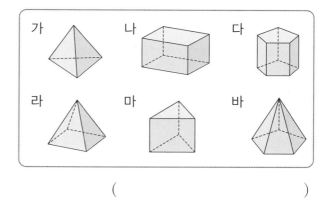

(　　　　　　　　　)

2-1 각뿔을 보고 ☐ 안에 알맞은 말을 써넣으세요.

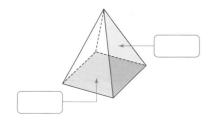

2-2 각뿔에서 밑면은 ○표, 옆면은 △표 하세요.

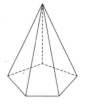

3-1 각뿔을 보고 밑면과 옆면을 찾아 각각 써 보세요.

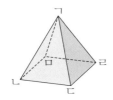

(1) 밑면: _____

(2) 옆면: _____

_____

3-2 각뿔을 보고 물음에 답하세요.

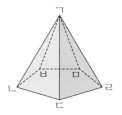

(1) 밑면을 찾아 써 보세요.

(　　　　　　　　　)

(2) 옆면을 모두 찾아 써 보세요.

_____

_____

 교과서 기초 개념

• **각뿔의 이름, 구성 요소**

(1) 각뿔의 이름

각뿔		
밑면의 모양	**삼**각형	**사**각형
옆면의 모양	삼각형	❶
각뿔의 이름	**삼**각뿔	**사**각뿔

 각뿔의 이름은 밑면의 모양에 따라 정해져!

(2) 각뿔의 구성 요소

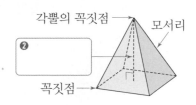

참고 각뿔의 구성 요소의 수

• (각뿔의 꼭짓점의 수)=(밑면의 변의 수)+1
• (각뿔의 면의 수)=(밑면의 변의 수)+1
• (각뿔의 모서리의 수)=(밑면의 변의 수)×2

▶ 정답 및 풀이 **12**쪽

1-1 각뿔을 보고 ☐ 안에 알맞은 말을 써넣으세요.

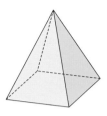

밑면의 모양이 ☐ 이므로 각뿔의 이름
은 ☐ 입니다.

1-2 각뿔을 보고 각뿔의 이름을 써 보세요.

(   )

2-1 각뿔을 보고 ☐ 안에 알맞은 말을 써넣으세요.

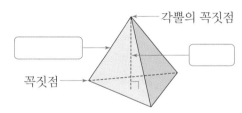

각뿔의 꼭짓점

꼭짓점

2-2 각뿔을 보고 ☐ 안에 알맞은 말을 써넣으세요.

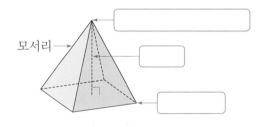

모서리

2주
2일

3-1 각뿔을 보고 빈칸에 알맞게 써넣으세요.

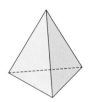

밑면의 모양	꼭짓점의 수(개)	면의 수(개)	모서리의 수(개)

3-2 각뿔을 보고 빈칸에 알맞게 써넣으세요.

밑면의 모양	꼭짓점의 수(개)	면의 수(개)	모서리의 수(개)

기초 집중 연습

 기본 문제 연습

1-1 각뿔을 찾아 기호를 써 보세요.

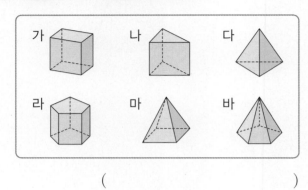

( )

1-2 각뿔이 <u>아닌</u> 것을 찾아 기호를 써 보세요.

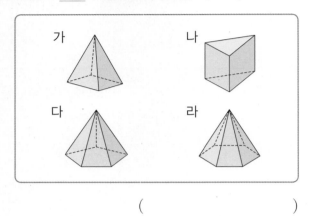

( )

[**2-1 ~ 2-2**] 다음 각뿔의 겨냥도에서 '각뿔의 꼭짓점'을 찾아 · 으로 표시해 보세요.

2-1

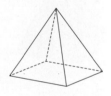

2-2

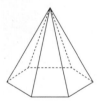

3-1 각뿔에서 면과 면이 만나는 선분은 모두 몇 개인 가요?

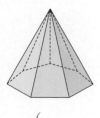

( )

3-2 각뿔에서 모서리와 모서리가 만나는 점은 모두 몇 개인가요?

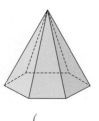

( )

 기초 → 기본 연습 | 밑면의 모양에 따라 각뿔의 이름을 정하자.

기초 각뿔의 이름을 써 보세요.

답 _____

4-1 밑면의 모양이 다음과 같은 각뿔의 이름을 써 보세요.

답 _____

4-2 밑면의 모양이 다음과 같은 각뿔의 이름을 써 보세요.

답 _____

4-3 다음 삼각형과 합동인 삼각형 6개를 옆면으로 하는 각뿔의 이름을 써 보세요.

답 _____

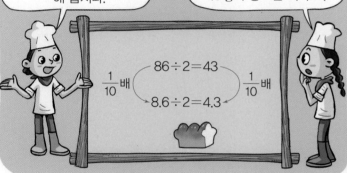

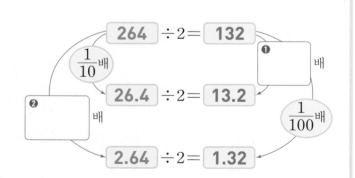

교과서 기초 개념

- 자연수의 나눗셈을 이용한 (소수) ÷ (자연수)

나누는 수가 같을 때

나누어지는 수가 $\frac{1}{10}$배, $\frac{1}{100}$배가 되면

몫도 $\frac{1}{10}$배, $\frac{1}{100}$배가 됩니다.

$$264 \div 2 = 132$$

$\frac{1}{10}$배 · · · ❶ ___ 배

$$26.4 \div 2 = 13.2$$

❷ ___ 배

$\frac{1}{100}$배

$$2.64 \div 2 = 1.32$$

나누어지는 수의 소수점이 왼쪽으로 한 칸, 두 칸 이동하면
몫의 소수점도 왼쪽으로 한 칸, 두 칸 이동한다는 말이네.

정답 ❶ $\frac{1}{10}$ ❷ $\frac{1}{100}$

1-1 분동을 접시에 똑같이 나누어 담으려고 합니다. 1 g 분동은 ○, 0.1 g 분동은 △로 나타내어 그림을 완성하고 ☐ 안에 알맞은 수를 써넣으세요.

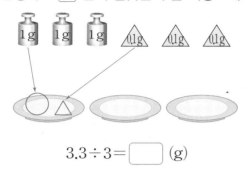

$3.3 \div 3 =$ ☐ (g)

1-2 분동을 접시에 똑같이 나누어 담으려고 합니다. 1 g 분동은 ☐, 0.1 g 분동은 ○로 나타내어 그림을 완성하고 ☐ 안에 알맞은 수를 써넣으세요.

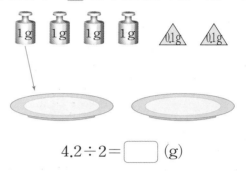

$4.2 \div 2 =$ ☐ (g)

[2-1 ~ 2-2] 빈칸에 알맞은 수를 써넣으세요.

2-1

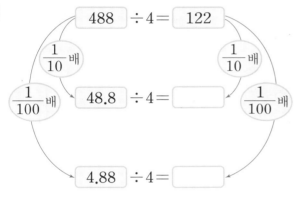

$488 \div 4 = 122$

$\frac{1}{10}$배　　$\frac{1}{10}$배

$48.8 \div 4 =$

$\frac{1}{100}$배　　$\frac{1}{100}$배

$4.88 \div 4 =$

2-2

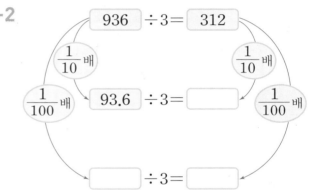

$936 \div 3 = 312$

$\frac{1}{10}$배　　$\frac{1}{10}$배

$93.6 \div 3 =$

$\frac{1}{100}$배　　$\frac{1}{100}$배

☐ $\div 3 =$

[3-1 ~ 3-2] 자연수의 나눗셈을 이용하여 소수의 나눗셈을 하세요.

3-1 $642 \div 2 = 321$

$64.2 \div 2 =$ ☐

$6.42 \div 2 =$ ☐

3-2 $848 \div 4 = 212$

$84.8 \div 4 =$ ☐

$8.48 \div 4 =$ ☐

4-1 빈칸에 알맞은 수를 써넣으세요.

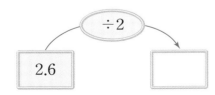

$\div 2$

2.6

4-2 빈칸에 알맞은 수를 써넣으세요.

$\div$

| 3.96 | 3 | |

반죽 11.2 kg을 4등분하면 1덩이의 무게가 2.8 kg이 되죠.

```
      2.8
 4) 1 1.2
      8
      3 2
      3 2
        0
```

나눈 반죽으로 허니브레드를 만들었는데 토니가 그 허니브레드에 날개를 달아 장식을 하고 있지 않겠어요?

네~ 이 빵집의 비밀은 바로 허니브레드의 날개였군요! 그래서 날개 돋친 듯이 팔렸다는 소식 전해드리면서 엠. 비. 에스 뉴우스 기자 이기자였습니다.

🐻 교과서 기초 개념

• 각 자리에서 나누어떨어지지 않는 (소수)÷(자연수)

예) 7.26÷3의 계산

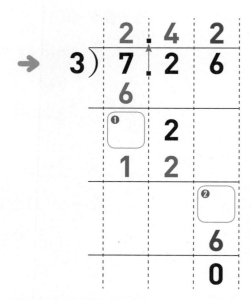

```
      2 4 2
 3) 7 2 6
    6
    1 2
    1 2
        6
        6
        0
```
→
```
      2.4 2
 3) 7.2 6
    6
   ① 2
    1 2
        ②
        6
        0
```

몫의 소수점은 나누어지는 수의 소수점을 올려 찍어.

정답 ❶ 1   ❷ 6

[**1-1 ~ 1-2**] 소수의 나눗셈을 분수의 나눗셈으로 바꾸어 계산하려고 합니다. ☐ 안에 알맞은 수를 써넣으세요.

1-1 $15.2 \div 4 = \dfrac{\boxed{}}{10} \div 4 = \dfrac{\boxed{} \div 4}{10}$

$= \dfrac{\boxed{}}{10} = \boxed{}$

1-2 $3.72 \div 2 = \dfrac{\boxed{}}{100} \div 2 = \dfrac{\boxed{} \div 2}{100}$

$= \dfrac{\boxed{}}{100} = \boxed{}$

2-1 ☐ 안에 알맞은 수를 써넣으세요.

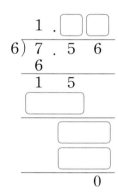

2-2 ☐ 안에 알맞은 수를 써넣으세요.

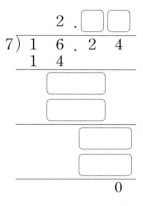

3-1 계산해 보세요.

(1)
$$4 \overline{)2\,9.2}$$

(2)
$$3 \overline{)4.2\,9}$$

3-2 계산해 보세요.

(1) $19.5 \div 5$

(2) $9.51 \div 3$

4-1 빈칸에 알맞은 수를 써넣으세요.

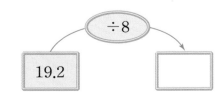

4-2 빈칸에 알맞은 수를 써넣으세요.

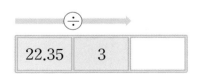

기본 문제 연습

1-1 계산해 보세요.

(1) $33.9 \div 3$

(2) $7.95 \div 5$

1-2 계산해 보세요.

(1) $26.6 \div 7$

(2) $17.04 \div 8$

2-1 나눗셈의 몫을 찾아 이어 보세요.

$6.69 \div 3$ •

$12.15 \div 5$ •

• 2.43

• 2.33

• 2.23

2-2 나눗셈의 몫을 찾아 이어 보세요.

| $5.36 \div 4$ | $10.78 \div 7$ |

| 1.34 | 1.54 | 1.74 |

3-1 큰 수를 작은 수로 나눈 몫을 구하세요.

| 8.26 | 2 |

( )

3-2 큰 수를 작은 수로 나눈 몫을 빈칸에 써넣으세요.

3	3.81

4-1 크기를 비교하여 더 큰 것에 ○표 하세요.

| $9.96 \div 3$ | 3.33 |

( ) ( )

4-2 크기를 비교하여 ○ 안에 >, =, <를 알맞게 써넣으세요.

$6.75 \bigcirc 27.16 \div 4$

연산 → 문장제 연습   '한 도막', '한 개'를 구할 때는 나눗셈으로 구하자.

연산 계산해 보세요.

$$4.48 \div 4$$

이 나눗셈식은 실생활에서 어떻게 이용될까요?

5-1 태형이는 길이가 4.48 m인 색 테이프를 똑같이 4도막으로 잘랐습니다. 한 도막의 길이는 몇 m인가요?

식 $\boxed{} \div 4 = \boxed{}$

답 _____

5-2 생수 8.68 L를 물통 7개에 똑같이 나누어 담았습니다. 물통 한 개에 담은 생수는 몇 L인가요?

식 _____

답 _____

2주
3일

5-3 넓이가 81.6 m²인 직사각형을 8등분하였습니다. 색칠한 부분의 넓이는 몇 m²인가요?

답 _____

🐼 **교과서 기초 개념**

• 몫이 1보다 작은 (소수)÷(자연수)

예 3.48÷4의 계산

```
        8 7                0.8 7
    4 ) 3 4 8      →     4 ) 3.4 8
        3 2                  3 2
        ─────                ─────
          2 8                  2 8
          2 8                  2 8
        ─────                ─────
            0                    ①
```

몫이 1보다 작으니깐
몫의 자연수 부분에
0을 쓰고 소수점을
올려 찍어야 해.

(나누어지는 수)<(나누는 수)이면
몫이 1보다 작아.

1-1 소수의 나눗셈을 분수의 나눗셈으로 바꾸어 계산하려고 합니다. ☐ 안에 알맞은 수를 써넣으세요.

$$0.78 \div 3 = \frac{\boxed{}}{100} \div 3 = \frac{\boxed{} \div 3}{100}$$

$$= \frac{\boxed{}}{100} = \boxed{}$$

1-2 보기와 같은 방법으로 계산해 보세요.

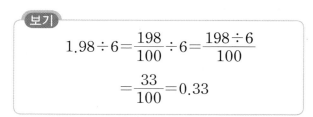

보기
$$1.98 \div 6 = \frac{198}{100} \div 6 = \frac{198 \div 6}{100}$$
$$= \frac{33}{100} = 0.33$$

$1.48 \div 4$

2-1 자연수의 나눗셈을 이용하여 계산하려고 합니다. ☐ 안에 알맞은 수를 써넣으세요.

$$156 \div 3 = \boxed{} \;\Rightarrow\; 1.56 \div 3 = \boxed{}$$

2-2 자연수의 나눗셈을 이용하여 계산하려고 합니다. ☐ 안에 알맞은 수를 써넣으세요.

$$204 \div 4 = \boxed{} \;\Rightarrow\; 2.04 \div 4 = \boxed{}$$

2주
4일

3-1 ☐ 안에 알맞은 수를 써넣으세요.

(1)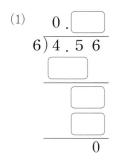

(2)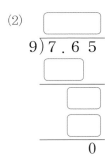

3-2 계산해 보세요.

(1)
$$2\overline{)1.32}$$

(2)
$$5\overline{)2.85}$$

4-1 소수를 자연수로 나눈 몫을 구해 보세요.

| 3.68 | 4 |

(　　　　　)

4-2 소수를 자연수로 나눈 몫을 빈칸에 써넣으세요.

3	1.71

교과서 기초 개념

• 소수점 아래 0을 내려 계산하는 (소수)÷(자연수)

예 3.7÷2의 계산

$$
\begin{array}{r}
1.85 \\
2\,)\overline{3.70} \\
2 \\
\hline
1\,7 \\
1\,6 \\
\hline
1\,\boxed{①} \\
1\,0 \\
\hline
\boxed{②}
\end{array}
$$

소수점 아래에서 나누어떨어지지 않을 때에는 오른쪽 끝자리에 0이 계속 있는 것으로 생각하고 0을 내려 계산해.

정답 ❶ 0   ❷ 0

[1-1 ~ 1-2] 자연수의 나눗셈을 이용하여 소수의 나눗셈을 하려고 합니다. ☐ 안에 알맞은 수를 써넣으세요.

1-1 $3480 \div 8 = 435$ ➡ $34.8 \div 8 = \boxed{}$

1-2 $2940 \div 4 = \boxed{}$ ➡ $29.4 \div 4 = \boxed{}$

[2-1 ~ 2-2] 소수의 나눗셈을 분수의 나눗셈으로 바꾸어 계산하려고 합니다. ☐ 안에 알맞은 수를 써넣으세요.

2-1
$$12.6 \div 4 = \frac{1260}{100} \div 4$$
$$= \frac{\boxed{} \div 4}{100} = \frac{\boxed{}}{100}$$
$$= \boxed{}$$

2-2
$$7.3 \div 5 = \frac{\boxed{}}{100} \div 5$$
$$= \frac{\boxed{} \div 5}{100} = \frac{\boxed{}}{100}$$
$$= \boxed{}$$

3-1 계산해 보세요.

(1)
$$6 \overline{)1.5}$$

(2)
$$8 \overline{)1.72}$$

3-2 계산해 보세요.

(1) $8.7 \div 2$

(2) $9.8 \div 5$

4-1 빈칸에 알맞은 수를 써넣으세요.

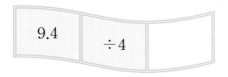

| 9.4 | $\div 4$ | |

4-2 빈칸에 알맞은 수를 써넣으세요.

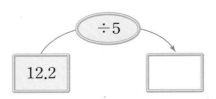

기본 문제 연습

1-1 계산해 보세요.

(1) $2\overline{)1.36}$ (2) $8\overline{)9.2}$

1-2 계산해 보세요.

(1) $4.92 \div 6$

(2) $8.7 \div 5$

2-1 나눗셈의 몫이 1보다 작은 것에 ○표 하세요.

$15.3 \div 6$	$5.04 \div 9$

( ) ( )

2-2 몫이 1보다 큰 것의 기호를 써 보세요.

㉠ $4.35 \div 5$	㉡ $3.36 \div 3$

( )

3-1 계산을 바르게 한 사람의 이름을 써 보세요.

• 태영: $3.71 \div 7 = 5.3$
• 승연: $9.9 \div 2 = 4.95$

( )

3-2 계산을 바르게 한 사람은 누구인가요?

 $3.22 \div 7 = 0.46$ $7.5 \div 6 = 1.2$
수현 정우

( )

4-1 몫이 더 큰 것에 ○표 하세요.

$8.1 \div 5$	( )
$5.46 \div 6$	( )

4-2 몫이 더 작은 것의 기호를 써 보세요.

㉠ $4.9 \div 5$	㉡ $1.61 \div 7$

( )

연산 → 문장제 연습　　'한 권', '한 개'는 나눗셈으로 구하자.

 계산해 보세요.

$3.92 \div 7$

이 나눗셈식은 실생활에서 어떻게 이용될까요?

5-1 똑같은 스케치북 7권의 무게가 3.92 kg입니다. 스케치북 한 권의 무게는 몇 kg인가요?

식 □ ÷ □ = □

답 _____

5-2 간장 3.72 L를 병 4개에 똑같이 나누어 담으려고 합니다. 병 한 개에 간장을 몇 L씩 담아야 하나요?

식 _____

답 _____

5-3 길 24.9 m에 나무 7그루를 처음부터 끝까지 같은 간격으로 그림과 같이 심으려고 합니다. 나무 사이의 간격을 몇 m로 해야 하나요? (단, 나무의 굵기는 생각하지 않습니다.)

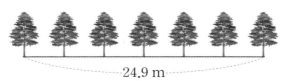

24.9 m

답 _____

🐻 교과서 기초 개념

• 몫의 소수 첫째 자리에 0이 있는 (소수)÷(자연수) (1)

⑩ 4.2÷4의 계산

(1) 분수의 나눗셈으로 바꾸어 계산하기

$$4.2 \div 4 = \frac{420}{100} \div 4 = \frac{420 \div 4}{100} = \frac{❶}{100} = ❷$$

분모가 100인 분수로 바꾸기

(2) 자연수의 나눗셈을 이용하여 계산하기

$$\underset{\frac{1}{100}배}{420 \div 4 = 105} \rightarrow \underset{\frac{1}{100}배}{4.2 \div 4 = 1.05}$$

정답 ❶ 105   ❷ 1.05

[**1**-1 ~ **1**-2] 소수의 나눗셈을 분수의 나눗셈으로 바꾸어 계산하려고 합니다. ▢ 안에 알맞은 수를 써넣으세요.

1-1 $6.48 \div 6 = \dfrac{\boxed{}}{100} \div 6 = \dfrac{\boxed{} \div 6}{100}$

$= \dfrac{\boxed{}}{100} = \boxed{}$

1-2 $8.2 \div 4 = \dfrac{\boxed{}}{100} \div 4 = \dfrac{\boxed{} \div 4}{100}$

$= \dfrac{\boxed{}}{100} = \boxed{}$

2-1 보기 와 같이 계산해 보세요.

보기

$$5.3 \div 5 = \frac{530}{100} \div 5 = \frac{530 \div 5}{100}$$
$$= \frac{106}{100} = 1.06$$

$12.3 \div 6$

2-2 준희의 방법과 같이 계산해 보세요.

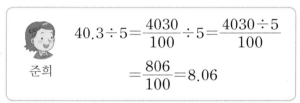

$$40.3 \div 5 = \frac{4030}{100} \div 5 = \frac{4030 \div 5}{100}$$
$$= \frac{806}{100} = 8.06$$

준희

$36.6 \div 12$

3-1 $4020 \div 5 = 804$를 이용하여 계산하려고 합니다. ▢ 안에 알맞은 수를 써넣으세요.

$40.2 \div 5 = \boxed{}$

3-2 자연수의 나눗셈을 이용하여 소수의 나눗셈을 계산해 보세요.

⑴ $864 \div 8 = 108$ ➡ $8.64 \div 8 = \boxed{}$

⑵ $510 \div 5 = \boxed{}$ ➡ $5.1 \div 5 = \boxed{}$

[**4**-1 ~ **4**-2] 소수의 나눗셈을 분수의 나눗셈으로 바꾸어 계산해 보세요.

4-1 ⑴ $7.49 \div 7$

⑵ $10.2 \div 5$

4-2 ⑴ $6.12 \div 3$

⑵ $24.4 \div 8$

2주
5일

네, 맞아요. 1덩이에 1.05 g씩 넣으면 되겠네요.

자 오늘은 미니 딸기 케이크 6개를 만들어 볼게요~

딸기 시럽 6.3 g을 반죽 6덩이에 나누어 넣어야 하죠?

여기 반죽 6덩이가 완성되었어요. 이제 딸기 시럽을 넣어주면 돼요~

아차차, 딸기 사 오는 것을 깜빡했네……

오늘은 장사 준비가 엉망이네요……

교과서 기초 개념

• 몫의 소수 첫째 자리에 0이 있는 (소수)÷(자연수) (2) ← 세로로 계산하기

예 6.3÷6의 계산

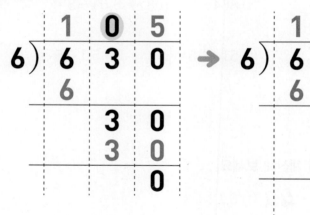

3이 6보다 작으니깐 몫의 소수 첫째 자리에 0을 쓰고 수를 하나 더 내려야 해.

1-1 ☐ 안에 알맞은 수를 써넣으세요.

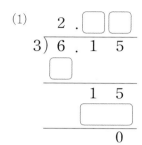

(1)
```
      2 . ☐☐
3 ) 6 . 1 5
    ☐
    ─────
      1 5
    ☐☐☐
    ─────
        0
```

(2)
```
      ☐ . ☐☐
8 ) 8 . 3 2
    ☐
    ─────
      3 2
    ☐☐☐
    ─────
        0
```

1-2 ☐ 안에 알맞은 수를 써넣으세요.

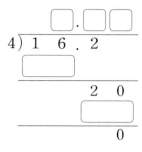

```
      ☐ . ☐☐
4 ) 1 6 . 2
    ☐☐☐
    ─────
        2 0
    ☐☐☐
    ─────
          0
```

2-1 계산해 보세요.

(1)
```
6 ) 6 . 3 6
```

(2)
```
9 ) 1 8 . 2 7
```

2-2 계산해 보세요.

(1) $9.27 \div 3$

(2) $5.4 \div 5$

3-1 소수를 자연수로 나눈 몫을 구해 보세요.

| 4.1 | 2 |

(   )

3-2 소수를 자연수로 나눈 몫을 빈칸에 써넣으세요.

| 12.2 |
| 4 |

4-1 빈칸에 알맞은 수를 써넣으세요.

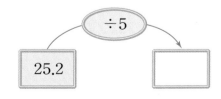

```
        ÷5
  25.2  →  ☐
```

4-2 빈칸에 알맞은 수를 써넣으세요.

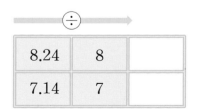

÷		
8.24	8	
7.14	7	

기초 집중 연습

기본 문제 연습

1-1 계산해 보세요.

(1) 9.12÷3

(2) 24.3÷6

1-2 계산해 보세요.

(1) 7.35÷7

(2) 10.1÷5

2-1 나눗셈의 몫을 찾아 선으로 이어 보세요.

10.25÷5 ·

32.4÷8 ·

· 2.05

· 3.05

· 4.05

2-2 나눗셈의 몫을 찾아 선으로 이어 보세요.

16.24÷8   12.3÷6

2.03   2.04   2.05

3-1 몫의 소수 첫째 자리가 0인 나눗셈의 기호를 써 보세요.

㉠ 4)3 4.8   ㉡ 6)4 2.3

(   )

3-2 몫의 소수 첫째 자리가 0인 나눗셈에 ○표 하세요.

16.5÷6   25.3÷5

(   )   (   )

4-1 크기를 비교하여 ○ 안에 >, =, <를 알맞게 써넣으세요.

4.18÷2 ◯ 2.08

4-2 계산 결과가 더 큰 것의 기호를 써 보세요.

㉠ 6.42÷6   ㉡ 8.4÷8

(   )

연산 → 문장제 연습 전체의 값에서 한 개의 값을 구할 때는 나눗셈으로 구하자.

연산 계산해 보세요.

$$45.36 \div 9$$

이 나눗셈식이 어떤 상황에서 이용될까요?

5-1 무게가 같은 지우개 9개의 무게는 45.36 g입니다. 지우개 한 개의 무게는 몇 g인가요?

식 [　　　] ÷ [　] = [　　　]

답 _____

5-2 무게가 같은 연필 7자루의 무게는 35.49 g입니다. 연필 한 자루의 무게는 몇 g인가요?

식 _____

답 _____

2주 5일

5-3 집에서 편의점을 지나 학교까지의 거리는 집에서 편의점까지의 거리의 몇 배인가요?

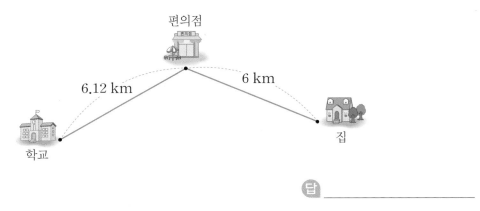

편의점

6.12 km

6 km

학교

집

답 _____

1 ☐ 안에 알맞은 수를 써넣으세요.

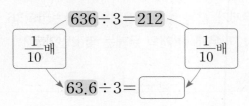

$636 \div 3 = 212$

$\dfrac{1}{10}$배 $\dfrac{1}{10}$배

$63.6 \div 3 = $ ☐

2 각뿔을 보고 ☐ 안에 알맞은 말을 써넣으세요.

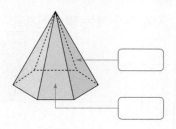

3 계산해 보세요.

$$5\overline{)15.75}$$

4 각뿔을 모두 찾아 기호를 써 보세요.

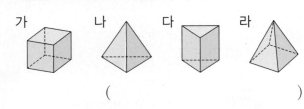

가   나   다   라

(   )

5 왼쪽 선물 상자를 만들기 위해 오른쪽과 같이 사각기둥의 전개도를 그렸습니다. 전개도를 점선을 따라 접었을 때 면 ㄴㅁㅊㅍ과 평행한 면을 찾아 써 보세요.

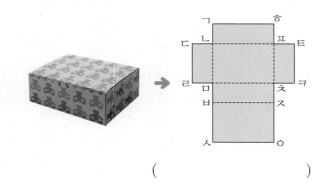

(   )

6 전개도를 접어서 각기둥을 만들었습니다. ☐ 안에 알맞은 수를 써넣으세요.

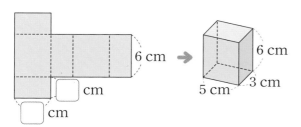

7 밑면의 모양이 다음과 같은 각뿔의 이름을 써 보세요.

(   )

8 몫이 더 큰 나눗셈을 말한 사람의 이름을 써 보세요.

12.4÷8   7.8÷5

수현   영탁

(   )

9 넓이가 16.8 m²인 직사각형 모양의 논이 있습니다. 논의 세로는 몇 m인가요?

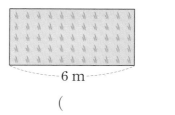

(   )

10 우유 1.44 L를 컵 6개에 똑같이 나누어 담았습니다. 컵 한 개에 담은 우유는 몇 L인가요?

식 _____

답 _____

창의 1 윤기, 태형, 석진이는 여러 가지 모양의 블록으로 로봇, 공룡, 하트 모양을 만들려고 합니다. 세 사람이 만들려는 모양과 블록의 수를 각각 구해 보세요.

 윤기, 태형, 석진이가 만들려는 모양과 블록의 수를 빈칸에 써넣어 봐.

이름	태형	석진	윤기
모양			
블록의 수(개)			

태형, 석진, 윤기는 *가베 놀이를 하였습니다. 세 사람은 여러 가지 각기둥 모양의 블록으로 각각 하트는 26개, 로봇은 15개, 공룡은 32개를 사용하여 만들었습니다. 각기둥 모양의 블록을 많이 사용한 사람 부터 차례로 알아보세요.

난 윤기보다
블록을 더 많이 사용했어.

태형 / 석진 / 윤기

내가 블록을
가장 많이 사용했지.

블록을 가장 많이 사용한
사람부터 차례로 알아봐.

블록을 많이 사용한 사람부터 차례로
빈칸에 써넣어 봐~

*가베 놀이: 각기둥 모양의 조각(블록)을 이용하여 다양한 모양을 만들어 보는 놀이로 숫자, 언어, 과학 등의 개념을 익히고 창의력과 수리력을 기를 수 있음.

특강

 3 승연이는 다음에서 설명하는 입체도형 모양의 전개도를 그려서 새장을 만들려고 합니다. 만들려는 새장은 어떤 도형인지 이름을 써 보세요.

• 밑면의 모양은 육각형이고 2개입니다.
• 옆면의 모양은 모두 직사각형이고 6개입니다.

답 _____

 4 지구의 반지름을 1이라고 보았을 때의 태양과 각 행성의 반지름을 나타낸 것입니다. 천왕성의 반지름을 1이라고 본다면 토성의 반지름은 몇이 되나요?

©Jut/shutterstock

이름	반지름	이름	반지름	이름	반지름
태양	109	지구	1	토성	9.4
수성	0.4	화성	0.5	천왕성	4
금성	0.9	목성	11.2	해왕성	3.9

답 _____

▶ 정답 및 풀이 17쪽

 융합 5 이집트 피라미드는 사각뿔 모양으로 가장 오래된 불가사의 건축물 중 하나입니다. 이집트 기자에 있는 피라미드 중에서도 쿠푸 왕의 대 피라미드가 가장 큰 규모를 지니고 있습니다. 이 피라미드와 밑면의 모양이 같은 각기둥의 이름은 무엇인가요?

▲ 쿠푸 왕의 대 피라미드 / ©Waj/shutterstock

답 _____

2주
특강

코딩 6 주어진 명령을 실행하였을 때 다음 로봇이 말하는 각뿔의 이름을 써 보세요.

나는 명령에 따라 지나간 칸에 쓰여 있는 수가 면의 수가 되는 각뿔의 이름을 말해.

▶ 시작하기 버튼을 클릭했을 때
오른쪽으로 2칸 이동
아래쪽으로 3칸 이동

	4		8
7		6	
5			9

답 _____

코딩 7 지나가는 방향의 연산 명령에 따라 계산하여 그 값을 나타내는 로봇이 있습니다. 이 로봇이 21부터 시작하여 지나간 방향이 오른쪽 그림과 같을 때 로봇이 나타내는 값을 구해 보세요.

로봇이 지나가는 방향	연산 명령
오른쪽으로 1칸 이동	$+0.5$
왼쪽으로 1칸 이동	$\div 2$
위쪽으로 1칸 이동	-1
아래쪽으로 1칸 이동	$\div 3$

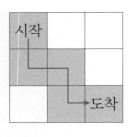

답 _____

융합 8 경찰서, 편의점, 우체국, 병원이 순서대로 일직선상에 있습니다. 우체국은 경찰서와 병원의 중간에 있고, 편의점은 경찰서와 우체국의 중간에 있습니다. 경찰서와 병원 사이의 거리가 4.6 km일 때 경찰서와 편의점 사이의 거리는 몇 km인가요? (단, 건물의 폭은 생각하지 않습니다.)

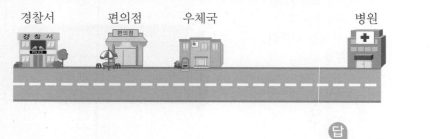

답 _____

밑면의 모양이 페가수스 사각형과 같은 각뿔이 있습니다. 이 각뿔에서 꼭짓점과 모서리의 수의 합은 몇 개인가요?

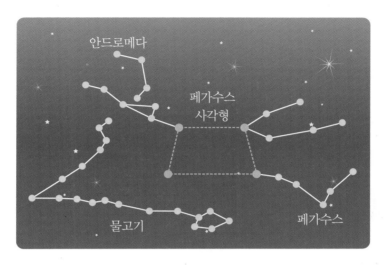

답 _____

 자동차 회사에서 적은 연료로도 먼 거리를 갈 수 있는 친환경 자동차를 만들었습니다. A와 B 자동차 중 같은 양의 연료로 더 먼 거리를 갈 수 있는 자동차는 어느 것인가요?

자동차	A	B
연료의 양(L)	4	3
갈 수 있는 거리(km)	106	79.2

답 _____

3주 소수의 나눗셈 ~ 여러 가지 그래프

(빨간 의자) : (노란 의자)
=1 : 2를 비율로
나타내면?

비 1 : 2에서 1은 비교하는 양,
2는 기준량이라고 합니다.

$$(비율) = \frac{(비교하는\ 양)}{(기준량)} = \frac{1}{2}$$

1일 (자연수)÷(자연수)의 몫을 소수로 나타내기, 몫의 소수점 위치
2일 두 수 비교하기, 비 알아보기   **3일** 비율 알아보기, 비율이 사용되는 경우
4일 백분율 알아보기, 백분율이 사용되는 경우
5일 띠그래프 알아보기, 띠그래프로 나타내기

아빠 목적지까지 얼마나 남았어요?

이곳이 목적지인데 지금 우리가 있는 곳은 이곳!

우리가 계획한 거리의 $\frac{3}{4}$을 달성했네요~

맞아요. $\frac{3}{4}$을 백분율로 나타내면 75 %, 그럼 75 % 완성!

비율에 100을 곱해서 백분율로 나타냅니다.

(백분율)=(비율)×100

$=\frac{3}{4}×100=75\,(\%)$

자 그럼 목적지까지 단숨에 달려가 볼까!

좋아요!

잠깐! 그전에 확실히 해둘게 있어요.

그게 뭔데요?

목적지에서는 내가 빨간 의자에 앉을 거예요!

빨간 의자는 내 거라니까요!

또 시작이시네……

4-2 소수의 덧셈과 뺄셈

분수를 소수로 바꾸려면 분모에 어떤 수를 곱하면 10, 100, 1000······이 되는지 알아봐~

$\frac{1}{5}$에서 분모와 분자에 똑같이 2를 곱하면 돼~

1-1 보기 를 보고 분수를 소수로 나타내세요.

보기
$$\frac{1}{2}=\frac{1\times5}{2\times5}=\frac{5}{10}=0.5$$

$\frac{2}{5}$ _____

1-2 보기 를 보고 분수를 소수로 나타내세요.

보기
$$\frac{1}{4}=\frac{1\times25}{4\times25}=\frac{25}{100}=0.25$$

$\frac{8}{25}$ _____

2-1 힌트를 보고 소수를 분수로 나타내세요.

힌트
소수 한 자리 수 ➡ 분모가 10

(1) 0.7 ➡ (   )

(2) 1.3 ➡ (   )

2-2 힌트를 보고 소수를 분수로 나타내세요.

힌트
소수 두 자리 수 ➡ 분모가 100

(1) 0.23 ➡ (   )

(2) 1.47 ➡ (   )

5-2 분수의 곱셈, 소수의 곱셈

4와 $\frac{4}{1}$는 같은 수야~

4를 $\frac{4}{1}$로 바꾸고~

분모는 분모끼리 분자는 분자끼리 곱하면 돼~

3주 1일

3-1 (분수)×(자연수)를 계산해 보세요.

(1) $\frac{4}{15} \times 5$

(2) $\frac{7}{20} \times 100$

3-2 (분수)×(자연수)를 계산해 보세요.

(1) $\frac{5}{8} \times 6$

(2) $\frac{3}{5} \times 100$

4-1 (소수)×(자연수)를 계산해 보세요.

(1) 0.7×10

(2) 0.14×100

4-2 (소수)×(자연수)를 계산해 보세요.

(1) 0.8×10

(2) 0.26×100

$$\begin{array}{r} 0.6 \\ 5\overline{)3.0} \\ 3\ 0 \\ \hline 0 \end{array}$$

3÷5를 계산하면 몫이 0.6 입니다.

교과서 기초 개념

• (자연수)÷(자연수)의 몫을 소수로 나타내기

나누어지는 수가 $\frac{1}{100}$배가 되면 몫도 $\frac{1}{100}$배가 돼.

$200 \div 8 = 25$

$\frac{1}{100}$배 ↓ $\frac{1}{100}$배 ↓

$2 \div 8 = 0.25$

정답 ❶ 0

1-1 60÷4를 이용하여 6÷4를 계산해 보세요.

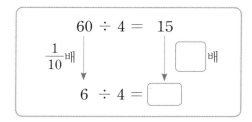

$$60 \div 4 = 15$$

$\frac{1}{10}$배 ↓　　　↓ □배

$$6 \div 4 = \boxed{}$$

1-2 30÷6을 이용하여 3÷6을 계산해 보세요.

$$30 \div 6 = 5$$

➡ $3 \div 6 = \boxed{}$

2-1 □ 안에 알맞은 수를 써넣으세요.

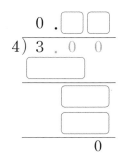

2-2 □ 안에 알맞은 수를 써넣으세요.

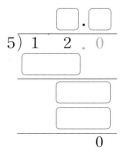

3-1 계산해 보세요.

(1) $8\overline{)3\ 6}$　　　(2) $2\overline{)1\ 5}$

3-2 계산해 보세요.

(1) $25\overline{)2\ 0}$　　　(2) $5\overline{)6}$

4-1 빈 곳에 알맞은 수를 써넣으세요.

4-2 빈 곳에 알맞은 수를 써넣으세요.

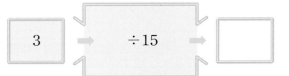

교과서 기초 개념

- 어림셈으로 몫의 소수점 위치 알아보기

예) 17.05÷5의 계산

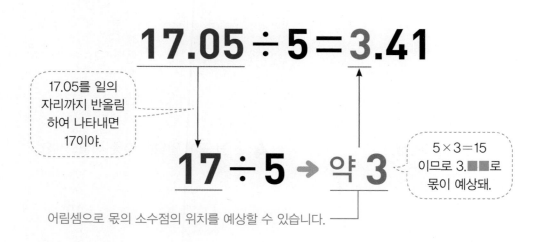

어림셈으로 몫의 소수점의 위치를 예상할 수 있습니다.

▶ 정답 및 풀이 18쪽

1-1 보기 와 같이 소수를 반올림하여 일의 자리까지 나타내어 어림한 식으로 표현해 보세요.

보기
$$4.2 \div 4 \;\Rightarrow\; 4 \div 4$$

$$10.2 \div 5 \;\Rightarrow\; \underline{\hspace{4cm}}$$

1-2 1-1의 보기 와 같이 소수를 반올림하여 일의 자리까지 나타내어 어림한 식으로 표현해 보세요.

⑴ $43.5 \div 6 \;\Rightarrow\; \underline{\hspace{4cm}}$

⑵ $24.2 \div 4 \;\Rightarrow\; \underline{\hspace{4cm}}$

2-1 어림셈하여 몫의 소수점 위치를 찾아 소수점을 찍어 보세요.

$$22.8 \div 5$$

어림: $\boxed{} \div \boxed{} \;\Rightarrow\;$ 약 $\boxed{}$

몫: $4\,\square\,5\,\square\,6$

2-2 어림셈하여 몫의 소수점 위치를 찾아 소수점을 찍어 보세요.

$$60.27 \div 7$$

어림: $\boxed{} \div \boxed{} \;\Rightarrow\;$ 약 $\boxed{}$

몫: $8\,\square\,6\,\square\,1$

3-1 어림셈하여 몫의 소수점 위치가 올바른 식에 ○표 하세요.

| $33.84 \div 8 = 4.23$ | ( ) |

| $33.84 \div 8 = 42.3$ | ( ) |

3-2 어림셈하여 몫의 소수점 위치가 올바른 식을 찾아 기호를 써 보세요.

㉠ $29.22 \div 6 = 0.487$

㉡ $29.22 \div 6 = 4.87$

( )

기초 집중 연습

1-1 계산해 보세요.

$13 \div 5 =$

1-2 계산해 보세요.

$18 \div 8 =$

2-1 나눗셈의 몫을 찾아 선으로 이어 보세요.

$29 \div 4$ •

$60 \div 8$ •

• 7.5

• 7.25

2-2 나눗셈의 몫을 찾아 선으로 이어 보세요.

$39 \div 5$

$26 \div 4$

6.5

7.8

8.2

3-1 다음 식을 보고 어림셈을 이용하여 몫에 소수점을 표시해 보세요.

$29.05 \div 7 = 4\ 1\ 5$

3-2 다음 식을 보고 어림셈을 이용하여 몫에 소수점을 표시해 보세요.

$35.65 \div 5 = 7\ 1\ 3$

4-1 몫이 1보다 큰 나눗셈에 ○표 하세요.

$5.58 \div 6$

$3.72 \div 3$

( )   ( )

4-2 몫이 1보다 큰 나눗셈을 찾아 기호를 써 보세요.

㉠ $12.96 \div 8$ ㉡ $3.84 \div 4$

( )

연산 → 문장제 연습 '똑같이 나누려면'은 나눗셈으로 구하자.

연산 계산해 보세요.

$$18 \div 5 = \boxed{}$$

 이 나눗셈식이 어떤 상황에서 이용될까요?

5-1 끈의 길이가 18 cm입니다. 5도막으로 똑같이 나누려면 몇 cm씩 잘라야 하나요?

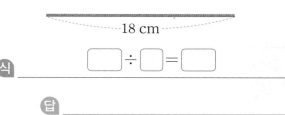

식 $\boxed{} \div \boxed{} = \boxed{}$

답 _____

5-2 정육각형의 둘레는 27 cm입니다. 정육각형의 한 변의 길이는 몇 cm인가요?

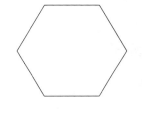

식 _____

답 _____

5-3 똑같은 사과 상자 4개의 무게가 13 kg입니다. 사과 상자 한 개의 무게는 몇 kg인가요?

식 _____

답 _____

그럼 네가 나보다
8회 더 많이 한 거네…….

두 수를 뺄셈으로 비교하기

$56 - 48 = 8$

56은 48보다 8 더 큽니다.

교과서 기초 개념

• 두 수를 비교하기

예 배 12개와 사과 24개 비교하기

뺄셈을 이용하기	나눗셈을 이용하기
$24 - 12 = 12$ ➜ 사과는 배보다 **12**개 더 많습니다.	$24 \div 12 = 2$ ➜ 사과의 수는 배의 수의 **2**배입니다.

두 수를 비교할 때는
뺄셈을 이용하기도 하고~

나눗셈을
이용하기도 해~

[1-1 ~ 2-1] 막대사탕 수와 아이스크림 수를 비교하려고 합니다. 물음에 답하세요.

[1-2 ~ 2-2] 바나나 수와 귤 수를 비교하려고 합니다. 물음에 답하세요.

1-1 뺄셈을 이용하여 비교해 보세요.

(막대사탕 수) − (아이스크림 수)

= ☐ − ☐ = ☐

➡ 막대사탕은 아이스크림보다 ☐개 더 많습니다.

1-2 뺄셈을 이용하여 비교해 보세요.

(바나나 수) − (귤 수)

= ☐ − ☐ = ☐

➡ 바나나는 귤보다 ☐개 더 많습니다.

2-1 나눗셈을 이용하여 비교해 보세요.

(막대사탕 수) ÷ (아이스크림 수)

= ☐ ÷ ☐ = ☐

➡ 막대사탕 수는 아이스크림 수의 ☐배입니다.

2-2 나눗셈을 이용하여 비교해 보세요.

(바나나 수) ÷ (귤 수)

= ☐ ÷ ☐ = ☐

➡ 바나나 수는 귤 수의 ☐배입니다.

3주
2일

3-1 봉지 수에 따른 사탕 수와 초콜릿 수를 비교하려고 합니다. 초콜릿 수는 사탕 수의 몇 배인가요?

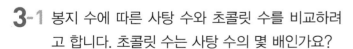

봉지 수(봉지)	1	2	3	4
사탕 수(개)	3	6	9	12
초콜릿 수(개)	6	12	18	24

(   )

3-2 모둠 수에 따른 여학생 수와 남학생 수를 비교하려고 합니다. 남학생 수는 여학생 수의 몇 배인가요?

모둠 수(모둠)	1	2	3
여학생 수(명)	2	4	6
남학생 수(명)	4	8	12

(   )

교과서 기초 개념

• **비**: 두 수를 나눗셈으로 비교하기 위해 기호 : 을 사용하여 나타낸 것

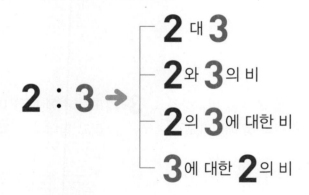

$$2 : 3 \rightarrow$$

- **2** 대 **3**
- **2**와 **3**의 비
- **2**의 **3**에 대한 비
- **3**에 대한 **2**의 비

'■에 대한'에서 ■를 오른쪽에 쓰면 돼.

7에 대한 **2**의 비	**2**의 **7**에 대한 비
2 : **7**	**2** : **7**
왼쪽 오른쪽	왼쪽 오른쪽

▶정답 및 풀이 **19**쪽

1-1 그림을 보고 샌드위치 수와 우유 수의 비를 써 보세요.

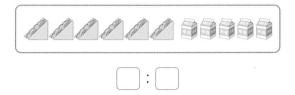

☐ : ☐

1-2 그림을 보고 핫도그 수와 떡꼬치 수의 비를 써 보세요.

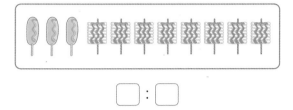

☐ : ☐

2-1 ☐ 안에 알맞은 수를 써넣으세요.

(1) 4 대 5 ➡ ☐ : ☐

(2) 3에 대한 5의 비 ➡ ☐ : ☐

2-2 ☐ 안에 알맞은 수를 써넣으세요.

(1) 4의 9에 대한 비 ➡ ☐ : ☐

(2) 6과 7의 비 ➡ ☐ : ☐

3-1 그림을 보고 전체에 대한 색칠한 부분의 비를 써 보세요.

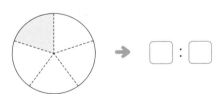 ➡ ☐ : ☐

3-2 그림을 보고 전체에 대한 색칠한 부분의 비를 써 보세요.

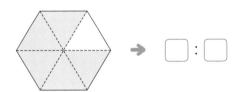 ➡ ☐ : ☐

4-1 8 : 7을 바르게 읽은 것에 ◯표 하세요.

| 7에 대한 8의 비 | ( ) |
| 8에 대한 7의 비 | ( ) |

4-2 2 : 9를 바르게 읽은 사람의 이름을 써 보세요.

9와 2의 비

2의 9에 대한 비

 정우

 민하

( )

👾 **기본 문제 연습**

1-1 야구공 8개와 축구공 2개를 뺄셈으로 비교해 보세요.

뺄셈 □ - □ = □

➡ 야구공은 축구공보다 □개 더 많습니다.

1-2 참외 12개와 키위 3개를 나눗셈으로 비교해 보세요.

나눗셈 □ ÷ □ = □

➡ 참외 수는 키위 수의 □배입니다.

2-1 사탕 수에 대한 구슬 수의 비를 써 보세요.

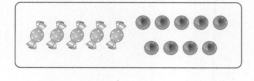

(   )

2-2 분홍색 색연필 수의 하늘색 색연필 수에 대한 비를 써 보세요.

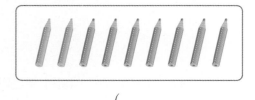

(   )

3-1 나타내는 비가 <u>다른</u> 하나를 찾아 기호를 써 보세요.

> ㉠ 3과 4의 비
> ㉡ 3에 대한 4의 비
> ㉢ 3 대 4

(   )

3-2 나타내는 비가 <u>다른</u> 하나를 말한 사람의 이름을 써 보세요.

10에 대한 1의 비   10 : 1   1과 10의 비

민호   정우   준희

(   )

기초 → 문장제 연습   '●에 대한 ▲의 비'는 '▲:●'로 구하자.

 그림을 보고 ◯ 수와 ▢ 수의 비를 써 보세요.

비는 어떤 상황에서 이용될까요?

4-1 교실 안에 여학생이 7명, 남학생이 4명 있습니다. 남학생 수에 대한 여학생 수의 비를 써 보세요.

답 _____

4-2 상자 안에 초록색 풍선이 12개, 노란색 풍선이 5개 들어 있습니다. 노란색 풍선 수에 대한 초록색 풍선 수의 비를 써 보세요.

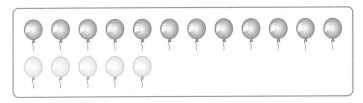

답 _____

4-3 체육실에 농구공과 축구공이 모두 24개 있습니다. 농구공이 13개일 때 물음에 답하세요.

(1) 축구공은 몇 개 있는지 구하세요.

답 _____

(2) 농구공 수에 대한 축구공 수의 비를 써 보세요.

답 _____

(3) 축구공 수에 대한 농구공 수의 비를 써 보세요.

답 _____

🐻 교과서 기초 개념

• **비를 보고 비율로 나타내기**

비율: 기준량에 대한 비교하는 양의 크기

$$(비율) = \frac{(비교하는\ 양)}{(기준량)}$$

$$5 : 10 \ \rightarrow \ (비율) = \frac{5}{10} \ 또는 \ 0.5$$

비교하는 양 ┘   └ 기준량

1-1 비를 보고 기준량과 비교하는 양을 각각 찾아 ☐ 안에 알맞은 말을 써넣으세요.

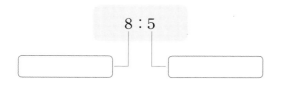

8 : 5

1-2 비를 보고 기준량과 비교하는 양을 각각 찾아 ☐ 안에 알맞은 수를 써넣으세요.

7 : 11

➡ 기준량: ☐ , 비교하는 양: ☐

2-1 다음의 비율을 분수로 나타내세요.

3 : 10

(　　　　　)

2-2 다음의 비율을 분수로 나타내세요.

9 : 4

(　　　　　)

3-1 다음의 비율을 소수로 나타내세요.

2 : 5

(　　　　　)

3-2 다음의 비율을 소수로 나타내세요.

1 : 4

(　　　　　)

4-1 다음의 비율을 분수로 나타내세요.

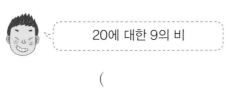

20에 대한 9의 비

(　　　　　)

4-2 다음의 비율을 분수로 나타내세요.

6의 5에 대한 비

(　　　　　)

걸린 시간에 대한 간 거리의 비율 구하기

$$(비율) = \frac{(간\ 거리)}{(걸린\ 시간)} = \frac{3000}{10} = 300$$

 교과서 기초 개념

• 비율이 사용되는 경우

속력	인구 밀도	농도
걸린 시간에 대한 간 거리의 비율	**넓이**에 대한 인구의 비율	**흰색 물감 양**에 대한 검은색 물감 양의 비율

$$(비율) = \frac{(간\ 거리)}{(걸린\ 시간)}$$

$$(비율) = \frac{(인구)}{(넓이)}$$

$$(비율) = \frac{(검은색\ 물감\ 양)}{(흰색\ 물감\ 양)}$$

1-1 걸린 시간에 대한 간 거리의 비율을 구하세요.

간 거리: 120 km
걸린 시간: 2시간

( )

1-2 걸린 시간에 대한 간 거리의 비율을 구하세요.

간 거리: 165 km
걸린 시간: 3시간

( )

2-1 지역의 넓이에 대한 인구의 비율을 구하세요.

인구: 4000명
넓이: 2 km^2

( )

2-2 지역의 넓이에 대한 인구의 비율을 구하세요.

인구: 12500명
넓이: 10 km^2

( )

3-1 흰색 물감 양에 대한 검은색 물감 양의 비율을 소수로 나타내세요.

흰색 물감: 200 mL
검은색 물감: 20 mL

( )

3-2 물 양에 대한 포도 원액 양의 비율을 소수로 나타내세요.

물: 180 mL
포도 원액: 45 mL

( )

3주
3일

기본 문제 연습

1-1 비교하는 양과 기준량을 찾아 쓰고 비율을 구하세요.

비	12 : 15
비교하는 양	
기준량	
비율	

1-2 비교하는 양과 기준량을 찾아 쓰고 비율을 구하세요.

15 : 20

비교하는 양 ( )
기준량 ( )
비율 ( )

2-1 12 : 16의 비율을 잘못 나타낸 것을 찾아 기호를 써 보세요.

㉠ $\frac{3}{4}$ ㉡ 0.25

( )

2-2 4 : 25의 비율을 잘못 나타낸 사람의 이름을 써 보세요.

0.16 $\frac{1}{4}$

준희   영탁

( )

3-1 소금물 양에 대한 소금 양의 비율을 소수로 나타내세요.

소금 10 g   물   소금물 100 g

( )

3-2 설탕물 양에 대한 설탕 양의 비율을 소수로 나타내세요.

설탕 10 g   물   설탕물 200 g

( )

기초 → 문장제 연습 비율은 (비교하는 양)÷(기준량)으로 구하자.

 다음의 비율을 분수로 나타내세요.

$$21 : 27$$

답 _____

비율은 어떤 상황에서 이용될까요?

4-1 수학 책의 세로에 대한 가로의 비율을 분수로 구하세요.

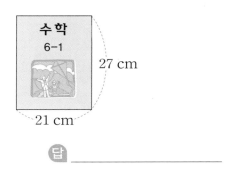

답 _____

4-2 어느 마을의 인구는 6400명이고 넓이는 8 km²입니다. 이 마을의 넓이에 대한 인구의 비율을 구하세요.

답 _____

4-3 초록 버스는 130 km를 가는 데 2시간이 걸렸고, 파란 버스는 180 km를 가는 데 3시간이 걸렸습니다. 물음에 답하세요.

(1) 걸린 시간에 대한 간 거리의 비율을 각각 구하세요.

답 초록 버스: _____

파란 버스: _____

(2) 두 버스 중 어느 버스가 더 빠른가요?

답 _____

4일 비와 비율   백분율 알아보기

🐻 교과서 기초 개념

• 백분율: 기준량을 100으로 할 때의 비율

 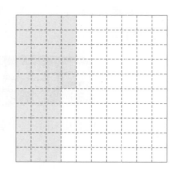

$$\frac{1}{100} = 1\%$$ $$\frac{35}{100} = 35\%$$

$\dfrac{1}{2}$을 백분율로 나타내기 ➡ $\dfrac{1}{2} \times 100 = \boxed{^{❶}}\%$

정답 ❶ 50

1-1 그림을 보고 전체에 대한 색칠한 부분의 비율을 백분율로 나타내세요.

$$(\text{백분율}) = \dfrac{\boxed{}}{100} = \boxed{} \%$$

1-2 그림을 보고 전체에 대한 색칠한 부분의 비율을 백분율로 나타내세요.

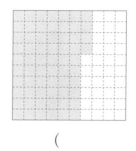

(   )

2-1 비율을 백분율로 나타내세요.

(1) $\dfrac{9}{20}$ ➡ $\dfrac{9}{20} \times \boxed{} = \boxed{}$ (%)

(2) 0.73 ➡ $0.73 \times \boxed{} = \boxed{}$ (%)

2-2 비율을 백분율로 나타내세요.

(1) $\dfrac{27}{50}$ ➡ (   )

(2) 0.42 ➡ (   )

3주
4일

3-1 빈칸에 알맞은 수를 써넣으세요.

분수	소수	백분율 (%)
$\dfrac{3}{20}$		

3-2 빈칸에 알맞은 수를 써넣으세요.

분수	소수	백분율 (%)
	0.17	

4-1 설명이 맞으면 ○표, 틀리면 ×표 하세요.

비율 $\dfrac{2}{5}$ 를 백분율로 나타내면 20 %야.

(   )

4-2 비율을 백분율로 잘못 나타낸 것을 찾아 기호를 써 보세요.

㉠ $\dfrac{3}{4} = 70\ \%$ ㉡ $0.28 = 28\ \%$

(   )

 교과서 기초 개념

• 백분율이 사용되는 경우

$$(\text{할인율}) = \frac{(\text{할인 금액})}{(\text{원래 가격})} \times 100 \; (\%)$$

$$(\text{득표율}) = \frac{(\text{득표 수})}{(\text{전체 투표 수})} \times 100 \; (\%)$$

$$(\text{소금물의 진하기}) = \frac{(\text{소금 양})}{(\text{소금물 양})} \times 100 \; (\%)$$

▶ 정답 및 풀이 21쪽

1-1 할인율은 몇 %인지 구하세요.

| 원래 가격 2000원 | → | 할인된 판매 가격 1800원 |

$$(할인율) = \frac{(할인\ 금액)}{(원래\ 가격)} \times 100$$

$$= \frac{\boxed{}}{2000} \times 100 = \boxed{} \ (\%)$$

1-2 할인율은 몇 %인지 구하세요.

| 원래 가격 5000원 | → | 할인된 판매 가격 4000원 |

(   )

2-1 득표율은 몇 %인지 구하세요.

전체 투표 수: 20표
득표 수: 9표

$$(득표율) = \frac{(득표\ 수)}{(전체\ 투표\ 수)} \times 100$$

$$= \frac{\boxed{}}{20} \times 100 = \boxed{} \ (\%)$$

2-2 득표율은 몇 %인지 구하세요.

전체 투표 수: 120표
득표 수: 24표

(   )

3-1 소금물 양에 대한 소금 양의 비율은 몇 %인지 구하세요.

소금물 양: 200 g
소금 양: 52 g

$$(진하기) = \frac{(소금\ 양)}{(소금물\ 양)} \times 100$$

$$= \frac{\boxed{}}{200} \times 100 = \boxed{} \ (\%)$$

3-2 설탕물 양에 대한 설탕 양의 비율은 몇 %인지 구하세요.

설탕물 양: 180 g
설탕 양: 36 g

(   )

1-1 다음 비율을 백분율로 나타내면 몇 %인가요?

$$\dfrac{8}{25}$$

( )

1-2 다음 비율을 백분율로 나타내면 몇 %인가요?

$$\dfrac{7}{20}$$

( )

2-1 전체에 대한 색칠한 부분의 비율은 몇 %인가요?

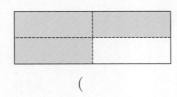

( )

2-2 전체에 대한 색칠한 부분의 비율은 몇 %인가요?

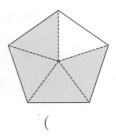

( )

3-1 두 비율 중 더 큰 것에 ○표 하세요.

| 65 % | $\dfrac{11}{20}$ |

( ) ( )

3-2 두 비율 중 더 큰 것을 찾아 기호를 써 보세요.

㉠ $\dfrac{3}{5}$ ㉡ 40 %

( )

4-1 그림과 같이 소금물을 만들었습니다. 소금물 양에 대한 소금 양의 비율은 몇 %인가요?

소금 25 g   물   소금물 125 g

( )

4-2 그림과 같이 소금물을 만들었습니다. 소금물 양에 대한 소금 양의 비율은 몇 %인가요?

소금 30 g   물   소금물 250 g

( )

▶ 정답 및 풀이 22쪽

 기초 → 문장제 연습   백분율은 (비율)×100으로 구하자.

 기초 다음 비율은 몇 %인지 구하세요.

$$\frac{3}{20} \rightarrow \boxed{} \%$$

백분율은 어떤 상황에서
이용될까요?

5-1 진우가 농구공을 20번 던져 3번 넣었다고 합니다. 진우의 골 성공률은 몇 %인가요?

답 _____

5-2 정훈이네 학교 6학년 학생 70명 중에서 방과 후 활동을 신청한 학생은 56명입니다. 신청률은 몇 %인가요?

답 _____

5-3 마트에서 훌라후프를 다음과 같이 할인하여 판매한다고 합니다. 이 훌라후프의 할인율은 몇 %인가요?

훌라후프
파격 할인
8000원 → 6400원

답 _____

조사해 보니 우리 반 여학생들이
가장 많이 받고 싶은 선물은
마카롱이군~

띠그래프

받고 싶은 선물별 학생 수

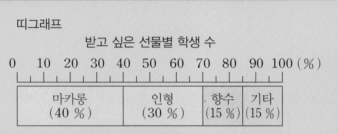

교과서 기초 개념

• 띠그래프 : 전체에 대한 각 부분의 비율을 띠 모양에 나타낸 그래프

좋아하는 과일별 학생 수

0 10 20 30 40 50 60 70 80 90 100 (%)

딸기 (35 %)	수박 (25 %)	키위 (20 %)	기타 (20 %)

가장 많은 학생이
좋아하는 과일은 딸기네.

띠그래프는 비율을 한눈에 알기 쉽고
비율을 쉽게 비교할 수 있습니다.

[1-1 ~ 2-1] 은미네 반 학생들이 좋아하는 분식을 조사하여 나타낸 띠그래프입니다. 물음에 답하세요.

좋아하는 분식별 학생 수

0 10 20 30 40 50 60 70 80 90 100 (%)

| 라면 (40 %) | 냉면 (15 %) | 쫄면 (20 %) | 우동 (15 %) | |

기타(10 %)

1-1 쫄면을 좋아하는 학생은 전체의 몇 %인가요?

(   )

[1-2 ~ 2-2] 정아네 반 학생들이 좋아하는 색깔을 조사하여 나타낸 띠그래프입니다. 물음에 답하세요.

좋아하는 색깔별 학생 수

0 10 20 30 40 50 60 70 80 90 100 (%)

| 분홍색 (35 %) | 초록색 (20 %) | 파란색 (30 %) | 기타 (15 %) |

1-2 초록색을 좋아하는 학생은 전체의 몇 %인가요?

(   )

2-1 가장 많은 학생들이 좋아하는 분식은 무엇인가요?

(   )

2-2 가장 많은 학생들이 좋아하는 색깔은 무엇인가요?

(   )

3주 5일

3-1 소미네 반 학생들이 배우고 싶은 국악기를 조사하여 나타낸 띠그래프입니다. 장구를 배우고 싶은 학생 수는 해금을 배우고 싶은 학생 수의 몇 배인가요?

배우고 싶은 국악기별 학생 수

0 10 20 30 40 50 60 70 80 90 100 (%)

| 장구 (30 %) | 대금 (25 %) | 가야금 (20 %) | 해금 (15 %) | |

기타(10 %)

(   )

3-2 아영이네 반 학생들이 좋아하는 동물을 조사하여 나타낸 띠그래프입니다. 기린을 좋아하는 학생 수는 코끼리를 좋아하는 학생 수의 몇 배인가요?

좋아하는 동물별 학생 수

0 10 20 30 40 50 60 70 80 90 100 (%)

| 기린 (40 %) | 코끼리 (20 %) | 원숭이 (15 %) | | 기타 (15 %) |

사자(10 %)

(   )

받고 싶은 선물별 학생 수

선물	마카롱	인형	향수	기타	합계
학생 수(명)	8	6	3	3	20
백분율(%)	40	30	15	15	100

마카롱: $\dfrac{(\text{항목 수})}{(\text{전체 학생 수})} \times 100 = \dfrac{8}{20} \times 100 = 40\,(\%)$

교과서 기초 개념

• 띠그래프로 나타내기

각 항목의 백분율을 구하여 띠그래프를 그립니다.

좋아하는 계절별 학생 수

계절	봄	여름	가을	겨울	합계
학생 수(명)	5	4	8	3	20
백분율(%)	**25**	**20**	**40**	**15**	**100**

① 백분율 구하기 ── $\dfrac{5}{20} \times 100 = 25\,(\%)$

백분율의 합계는 100!!

② 합계가 100 %인지 확인하기

좋아하는 계절별 학생 수 ─ ⑤ 제목 쓰기

```
0    10   20   30   40   50   60   70   80   90   100 (%)
```

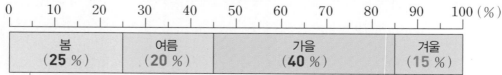

| 봄 (25 %) | 여름 (20 %) | 가을 (40 %) | 겨울 (15 %) |

③ 백분율의 크기만큼 선을 그어 띠 나누기
④ 각 항목의 내용과 백분율 쓰기

[1-1 ~ 2-1] 준호의 친구들이 좋아하는 운동을 조사하여 나타낸 표입니다. 물음에 답하세요.

좋아하는 운동별 학생 수

운동	축구	농구	야구	기타	합계
학생 수(명)	6	8	2	4	20
백분율(%)					

1-1 표를 완성해 보세요.

2-1 띠그래프로 나타내세요.

좋아하는 운동별 학생 수

0 10 20 30 40 50 60 70 80 90 100 (%)

[1-2 ~ 2-2] 민준이네 학교 6학년 학생들의 혈액형을 조사하여 나타낸 표입니다. 물음에 답하세요.

혈액형별 학생 수

혈액형	A형	B형	O형	AB형	합계
학생 수(명)	12	18	24	6	60
백분율(%)					

1-2 표를 완성해 보세요.

2-2 띠그래프로 나타내세요.

혈액형별 학생 수

0 10 20 30 40 50 60 70 80 90 100 (%)

3-1 지우네 학교 6학년 학생들이 여행하고 싶은 도시를 조사하여 나타낸 표입니다. 표를 완성하고 띠그래프를 그려 보세요.

여행하고 싶은 도시별 학생 수

도시	강릉	부산	여수	기타	합계
학생 수(명)	20	28	20	12	80
백분율(%)					

여행하고 싶은 도시별 학생 수

0 10 20 30 40 50 60 70 80 90 100 (%)

3-2 선아네 학교 6학년 학생들의 취미 활동을 조사하여 나타낸 표입니다. 표를 완성하고 띠그래프를 그려 보세요.

취미 활동별 학생 수

취미	운동	음악	그림	기타	합계
학생 수(명)	25	10	5	10	50
백분율(%)					

취미 활동별 학생 수

0 10 20 30 40 50 60 70 80 90 100 (%)

3주
5일

기본 문제 연습

1-1 마을별 학생 수를 조사하여 나타낸 표입니다. 표를 완성하고 띠그래프를 그려 보세요.

마을별 학생 수

마을	가	나	다	라	합계
학생 수(명)	14	10	8	8	40
백분율(%)					

마을별 학생 수

0 10 20 30 40 50 60 70 80 90 100 (%)

1-2 우진이네 반 학생들이 좋아하는 채소를 조사하여 나타낸 표입니다. 표를 완성하고 띠그래프를 그려 보세요.

좋아하는 채소별 학생 수

채소	감자	고구마	오이	기타	합계
학생 수(명)	9	5	2	4	20
백분율(%)					

좋아하는 채소별 학생 수

0 10 20 30 40 50 60 70 80 90 100 (%)

[2-1 ~ 3-1] 은지네 반 학생들이 좋아하는 동영상 분야를 조사하여 나타낸 띠그래프입니다. 물음에 답하세요.

좋아하는 동영상 분야별 학생 수

0 10 20 30 40 50 60 70 80 90 100 (%)

| 요리 (40 %) | 음악 (30 %) | 공예 (20 %) | |

게임(10 %)

2-1 음악 분야를 좋아하는 학생 수는 게임 분야를 좋아하는 학생 수의 몇 배인가요?

( )

[2-2 ~ 3-2] 재준이네 학교 6학년 학생들이 할 수 있는 운동을 조사하여 나타낸 띠그래프입니다. 물음에 답하세요.

할 수 있는 운동별 학생 수

0 10 20 30 40 50 60 70 80 90 100 (%)

| 자전거 (30 %) | 수영 (25 %) | 탁구 (20 %) | 스케이트 (15 %) | |

기타(10 %)

2-2 자전거를 탈 수 있는 학생 수는 스케이트를 탈 수 있는 학생 수의 몇 배인가요?

( )

3-1 게임 분야를 좋아하는 학생이 3명이라면 음악 분야를 좋아하는 학생은 몇 명인가요?

( )

3-2 스케이트를 탈 수 있는 학생이 30명이라면 자전거를 탈 수 있는 학생은 몇 명인가요?

( )

기초 → 문장제 연습   '가장 많은'은 띠그래프의 길이로 비교하자.

기초 은우네 학교 6학년 학생들이 좋아하는 학용품을 조사하여 나타낸 띠그래프입니다. 가장 많은 학생들이 좋아하는 학용품은 무엇인가요?

좋아하는 학용품별 학생 수

0 10 20 30 40 50 60 70 80 90 100 (%)

수첩 (40 %)	공책 (25 %)	연필 (20 %)	기타 (15 %)

답 _____

4-1 왼쪽 띠그래프를 보고 어린이날 기념으로 은우네 학교 6학년 학생들에게 학용품을 선물로 준비하려고 합니다. 어떤 선물을 준비하는 것이 좋은가요?

답 _____

4-2 민주네 학교 6학년 학생들이 학예회에 참여한 종목을 조사하여 나타낸 띠그래프입니다. 두 번째로 많은 학생들이 참여한 종목은 무엇인가요?

참여한 종목별 학생 수

0 10 20 30 40 50 60 70 80 90 100 (%)

연극 (40 %)	태권도 (30 %)	노래 (15 %)	기타 (15 %)

답 _____

4-3 형우네 반 학생들이 가고 싶은 산을 조사하여 나타낸 띠그래프입니다. 띠그래프를 보고 잘못 말한 사람의 이름을 써 보세요.

가고 싶은 산별 학생 수

0 10 20 30 40 50 60 70 80 90 100 (%)

한라산 (35 %)	설악산 (30 %)	백두산 (25 %)

기타(10 %)

 수현   가고 싶은 각 산의 비율을 한눈에 알아보기 쉬워.

한라산에 가고 싶은 학생이 몇 명인지 알 수 있어.   민호

답 _____

1 다음 비를 보고 기준량을 써 보세요.

$$5 : 4$$

( )

2 비율을 백분율로 나타내려고 합니다. ☐ 안에 알맞은 수를 써넣으세요.

$$\frac{12}{25} \Rightarrow \frac{12}{25} \times \boxed{} = \boxed{} \, (\%)$$

3 다음을 비로 나타내세요.

$$12에 대한 5의 비$$

( )

4 다음의 비율을 분수로 나타내세요.

$$3 : 11$$

( )

5 놀이 공원에서 똑같이 5칸으로 나누어진 판에 화살을 던져 맞히면 선물을 준다고 합니다. 전체에 대한 색칠한 부분의 비율은 몇 %인가요?

곰 인형과 과자에 색칠이 되어 있네.

( )

▶ 정답 및 풀이 24쪽

6 빈 곳에 알맞은 소수를 써넣으세요.

9 비율이 더 큰 것을 말한 사람의 이름을 써 보세요.

민호　　　　　　　수현

(　　　　　　　　　　)

[7~8] 진영이네 반 학생들이 좋아하는 반찬을 조사하여 나타낸 표입니다. 물음에 답하세요.

좋아하는 반찬별 학생 수

반찬	달걀말이	멸치볶음	김치찌개	기타	합계
학생 수(명)	7	6	4	3	20
백분율(%)	35	30			100

7 위의 표를 완성해 보세요.

10 똑같은 귤 상자 5개의 무게가 12 kg입니다. 귤 상자 한 개의 무게는 몇 kg인가요?

식 _____

답 _____

8 위의 표를 보고 띠그래프를 완성해 보세요.

좋아하는 반찬별 학생 수

0　10　20　30　40　50　60　70　80　90　100 (%)

| 달걀말이 (35 %) | 멸치볶음 (30 %) | |

3주
평가

[1~2] 호영이가 어린이 몸짱 대회에 나가기 위해 5월 1일에서 4일까지 윗몸 일으키기를 하였습니다. 4일 동안의 평균은 몇 회인지 소수로 나타내세요.

 1일부터 4일까지 윗몸 일으키기를 한 총 횟수는 몇 회인가요?

답

 4일 동안의 평균은 몇 회인지 소수로 나타내세요.

답 _____

▶ 정답 및 풀이 24쪽

[3~4] 정원사가 화분으로 정원을 꾸미려고 합니다. 9 m 길이로 처음부터 끝까지 화분을 7개 놓으려고 합니다. 몇 m 간격으로 놓아야 하는지 구하세요. (단, 화분의 두께는 생각하지 않습니다.)

 화분 사이의 간격은 몇 군데인가요?

답 _____

 (간격 수)=(화분 수)−1 로 계산해야 해~

 몇 m 간격으로 놓아야 하나요?

답 _____

창의 5 주영이네 집의 구조를 그린 그림입니다. 주영이 방은 주영이네 집의 몇 %를 차지하나요?

답 _____

융합 6 은정이가 태극기를 다음과 같은 크기로 그리려고 합니다. 가로에 대한 세로의 비율을 기약분수로 나타내어 보세요.

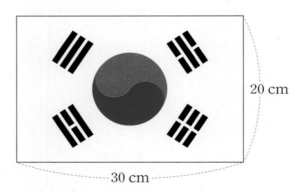

20 cm
30 cm

답 _____

태극기마다 크기는 달라도
가로에 대한 세로의 비율은 모두 같아.

색 카드 뒤집기 게임을 하여 준희는 전체의 60 %를 빨간색 카드로 뒤집었다고 합니다. 빨간색 카드는 몇 장 놓여 있나요?

답 _____

 비율 $\frac{1}{5}$을 넣으면 백분율이 계산되어 나오는 코딩 과정입니다. ☐ 안에 알맞은 수를 써넣고, 출력되어 나오는 값을 구하세요.

⬇	A = 1, B = 5
⬇	$\frac{A}{B} \times$ ☐ $= C$
C %를 출력합니다.	

(백분율)＝(비율)×100으로 계산해~~

답 _____

융합9 야구에서 전체 타수에 대한 안타 수의 비율을 타율이라고 합니다. 다음은 김우리 선수가 타석에 섰을 때 안타를 친 기록을 나타낸 표입니다. 타율을 소수로 나타내세요. (단, 김우리 선수의 기록에서 타석에 선 횟수와 타수는 같습니다.)

타석	안타	타석	안타
첫 번째	○	다섯 번째	○
두 번째	×	여섯 번째	×
세 번째	×	일곱 번째	○
네 번째	×	여덟 번째	×

$$(타율) = \frac{(안타\ 수)}{(전체\ 타수)} = \frac{\boxed{}}{\boxed{}} = \boxed{}$$

타율이 0.247이라면 2할 4푼 7리라고 말해~

코딩10 그림과 같이 라면을 할인한다고 합니다. 할인 금액을 계산하는 순서도를 보고 출력되어 나오는 값을 구하세요.

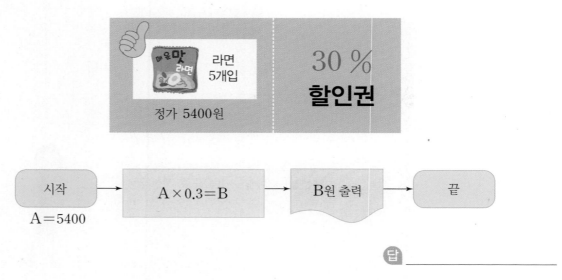

라면 5개입

정가 5400원

30 % 할인권

시작
A=5400
→ A×0.3=B → B원 출력 → 끝

답 _____

▶정답 및 풀이 24쪽

창의 11 막대사탕 1개당 가격이 더 싼 것을 찾아 기호를 써 보세요.

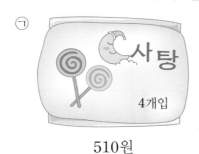

510원

612원

답 _____

코딩 12 표를 보고 띠그래프를 그릴 때 백분율을 계산하는 과정을 나타낸 순서도입니다. ㉠을 구하려면 A와 B에 얼마를 넣을지 ☐ 안에 알맞은 수를 써넣으세요.

좋아하는 간식별 학생 수

간식	햄버거	피자	치킨	합계
학생 수(명)	24	36	20	80
백분율(%)	㉠			100

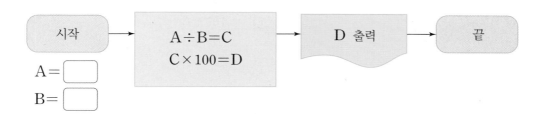

시작 → A÷B=C C×100=D → D 출력 → 끝

A= ☐
B= ☐

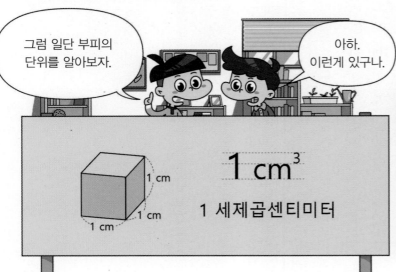

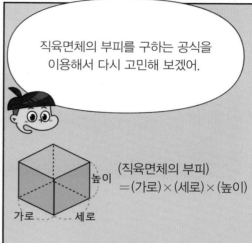

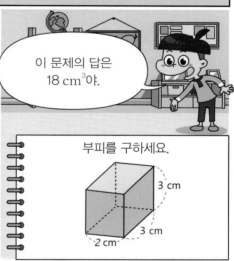

6-1 비와 비율

기준량에 대한 비교하는 양의 크기를 비율이라고 해.

백분율은 기준량을 100으로 할 때의 비율을 말하지!

1-1 비율을 백분율로 나타내세요.

$$\frac{25}{100}$$

(   )

1-2 비율을 백분율로 나타내세요.

$$\frac{12}{50}$$

(   )

2-1 그림을 보고 전체에 대한 색칠한 부분의 비율을 백분율로 나타내세요.

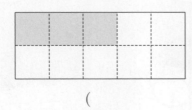

(   )

2-2 그림을 보고 전체에 대한 색칠한 부분의 비율을 백분율로 나타내세요.

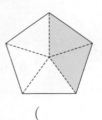

(   )

▶ 정답 및 풀이 25쪽

5-1 다각형의 둘레와 넓이

3-1 직사각형의 넓이는 몇 cm²인가요?

9 cm
6 cm

(   )

3-2 정사각형의 넓이는 몇 cm²인가요?

5 cm
5 cm

(   )

4-1 ☐ 안에 알맞은 수를 써넣으세요.

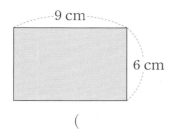

1 m
1 m
☐ cm
☐ cm

$$1 \text{ m}^2 = \boxed{} \text{ cm}^2$$

4-2 ☐ 안에 알맞은 수를 써넣으세요.

(1) $8 \text{ m}^2 = \boxed{} \text{ cm}^2$

(2) $40000 \text{ cm}^2 = \boxed{} \text{ m}^2$

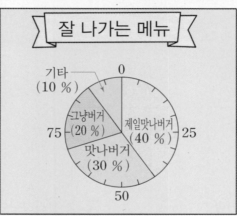

교과서 기초 개념

• **원그래프**: 전체에 대한 각 부분의 비율을 원 모양에 나타낸 그래프 → 원의 중심을 100등분하여 원 모양으로 그린 것입니다.

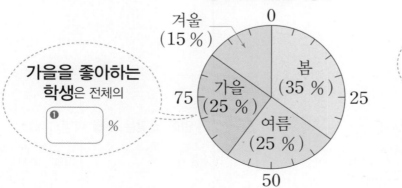

좋아하는 계절별 학생 수

가을을 좋아하는 학생은 전체의 **❶** %

비율이 높을수록 원그래프에서 차지하는 부분이 넓어.

(1) **가장 높은 비율**을 차지하는 항목은 봄입니다. ➜ **가장 많은** 학생이 좋아하는 계절: 봄

(2) **가장 낮은 비율**을 차지하는 항목은 겨울입니다. ➜ **가장 적은** 학생이 좋아하는 계절: **❷**

정답 ❶ 25   ❷ 겨울

[1-1 ~ 2-1] 진아네 반 학생들이 가 보고 싶은 나라를 조사하여 나타낸 원그래프입니다. 물음에 답하세요.

가 보고 싶은 나라별 학생 수

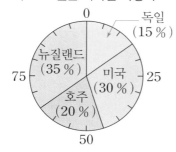

1-1 독일에 가 보고 싶은 학생은 전체의 몇 %인가요?

(　　　　　　　)

2-1 뉴질랜드에 가 보고 싶은 학생은 전체의 몇 %인가요?

(　　　　　　　)

[1-2 ~ 2-2] 현주네 반 학생들의 장래희망을 조사하여 나타낸 원그래프입니다. 물음에 답하세요.

장래희망별 학생 수

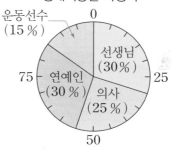

1-2 장래희망이 의사인 학생은 전체의 몇 %인가요?

(　　　　　　　)

2-2 장래희망이 운동선수인 학생은 전체의 몇 %인가요?

(　　　　　　　)

[3-1 ~ 4-1] 연경이네 반 학생들이 좋아하는 색깔을 조사하여 나타낸 원그래프입니다. 물음에 답하세요.

좋아하는 색깔별 학생 수

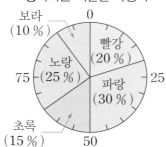

3-1 가장 많은 학생이 좋아하는 색깔은 무엇인가요?

(　　　　　　　)

4-1 가장 적은 학생이 좋아하는 색깔은 무엇인가요?

(　　　　　　　)

[3-2 ~ 4-2] 영호네 반 학생들이 배우고 싶은 악기를 조사하여 나타낸 원그래프입니다. 물음에 답하세요.

배우고 싶어하는 악기별 학생 수

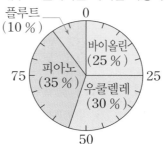

3-2 가장 많은 학생이 배우고 싶은 악기는 무엇인가요?

(　　　　　　　)

4-2 가장 적은 학생이 배우고 싶은 악기는 무엇인가요?

(　　　　　　　)

4주
1일

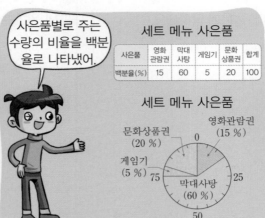

교과서 기초 개념

• 원그래프로 나타내기

좋아하는 꽃을 조사하여 나타낸 표를 보고 원그래프로 나타내기

좋아하는 꽃별 학생 수

꽃	장미	튤립	무궁화	백합	합계
학생 수(명)	16	12	8	4	40
백분율(%)	**40**	**30**	**20**	**10**	**100**

① **백분율 구하기**

장미: $\frac{16}{40} \times 100 = 40\,(\%)$, 튤립: $\frac{12}{40} \times 100 = 30\,(\%)$

무궁화: $\frac{8}{40} \times 100 = 20\,(\%)$, 백합: $\frac{4}{40} \times 100 = 10\,(\%)$

② **100 %가 되는지 확인하기**

⑤ **제목 쓰기**

③ **원 나누기**

④ **내용, 백분율 쓰기**

[1-1 ~ 2-1] 수미네 학교 학생들이 좋아하는 동물을 조사하여 나타낸 표입니다. 물음에 답하세요.

좋아하는 동물별 학생 수

동물	강아지	고양이	고슴도치	앵무새	합계
학생 수(명)	70	40	60	30	200
백분율(%)	35	20			100

1-1 ☐ 안에 알맞은 수를 써넣으세요.

고슴도치: $\dfrac{\boxed{}}{200} \times 100 = \boxed{}$ (%)

앵무새: $\dfrac{\boxed{}}{200} \times 100 = \boxed{}$ (%)

2-1 원그래프를 완성해 보세요.

좋아하는 동물별 학생 수

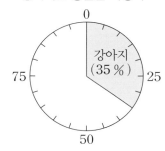

3-1 표를 보고 원그래프로 나타내세요.

혈액형별 학생 수

혈액형	A형	B형	O형	AB형	합계
백분율(%)	30	25	15	30	100

혈액형별 학생 수

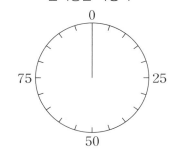

[1-2 ~ 2-2] 민재네 학교 학생들의 취미를 조사하여 나타낸 표입니다. 물음에 답하세요.

취미별 학생 수

취미	독서	운동	음악감상	게임	합계
학생 수(명)	15	10	20	5	50
백분율(%)	30	20			100

1-2 ☐ 안에 알맞은 수를 써넣으세요.

음악감상: $\dfrac{\boxed{}}{50} \times 100 = \boxed{}$ (%)

게임: $\dfrac{\boxed{}}{50} \times 100 = \boxed{}$ (%)

2-2 원그래프를 완성해 보세요.

취미별 학생 수

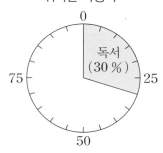

3-2 표를 보고 원그래프로 나타내세요.

좋아하는 음식별 학생 수

음식	짜장면	냉면	돈가스	김밥	합계
백분율(%)	20	40	25	15	100

좋아하는 음식별 학생 수

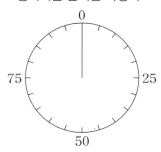

1일 기초 집중 연습

기본 문제 연습

1-1 현수네 반 학생들이 좋아하는 과목을 조사하여 나타낸 원그래프입니다. ☐ 안에 알맞은 말을 써넣으세요.

좋아하는 과목별 학생 수

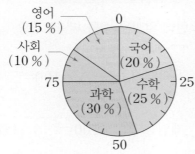

(1) 가장 많은 학생이 좋아하는 과목은 ☐ 입니다.

(2) 두 번째로 많은 학생이 좋아하는 과목은 ☐ 입니다.

1-2 지윤이네 반 학생들이 가고 싶은 체험 학습 장소를 조사하여 나타낸 원그래프입니다. ☐ 안에 알맞은 말을 써넣으세요.

가고 싶은 체험 학습 장소별 학생 수

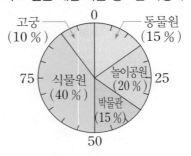

(1) 차지하는 비율이 동물원과 같은 장소는 ☐ 입니다.

(2) 가장 적은 학생이 가고 싶은 장소는 ☐ 입니다.

2-1 표와 원그래프를 각각 완성해 보세요.

좋아하는 과일별 학생 수

과일	사과	귤	배	복숭아	합계
학생 수(명)	120	90	45	45	300
백분율(%)	40				

좋아하는 과일별 학생 수

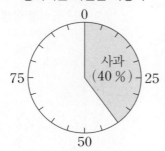

2-2 표와 원그래프를 각각 완성해 보세요.

받고 싶은 생일 선물별 학생 수

선물	운동화	책	게임기	기타	합계
학생 수(명)	80	160	100	60	400
백분율(%)	20				

받고 싶은 생일 선물별 학생 수

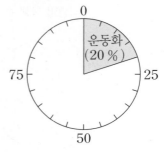

▶ 정답 및 풀이 27쪽

백분율의 관계를 이용하여 자료의 수를 구하자.

 현경이네 학교 학생들이 태어난 계절을 조사하여 나타낸 원그래프입니다. 봄에 태어난 학생 수는 가을에 태어난 학생 수의 몇 배인가요?

태어난 계절별 학생 수

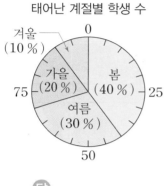

답 _____

3-1 기초 의 원그래프에서 가을에 태어난 학생이 35명이라면 봄에 태어난 학생은 몇 명인가요?

답 _____

백분율이 ■배이면
실제 학생 수도 ■배예요.

4주
1일

3-2 하린이네 학교 학생들이 좋아하는 곤충을 조사하여 나타낸 원그래프입니다. 나비를 좋아하는 학생이 32명이라면 매미를 좋아하는 학생은 몇 명인가요?

좋아하는 곤충별 학생 수

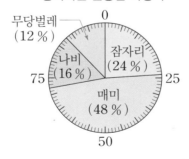

답 _____

3-3 위 **3**-2의 원그래프에서 잠자리를 좋아하는 학생이 48명이라면 무당벌레를 좋아하는 학생은 몇 명인가요?

답 _____

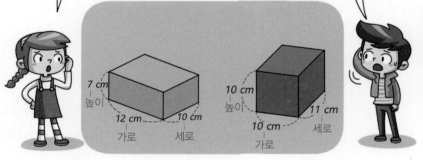

교과서 기초 개념

┌→ 어떤 물건이 공간에서 차지하는 크기

• 두 직육면체의 <u>부피</u> 직접 비교하기

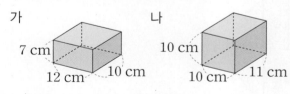

가

나

밑면의 가로: 12 cm > 10 cm

밑면의 세로: 10 cm < 11 cm

높이: 7 cm ❶◯ 10 cm

> 직육면체 가와 나의 가로, 세로, 높이는 각각 맞대어 비교할 수 있지만 어느 직육면체의 부피가 더 큰지 정확히 비교할 수 없습니다.

• 쌓기나무를 사용하여 두 직육면체의 부피 비교하기

가   나

쌓기나무를 사용하여 직육면체 모양으로 쌓은 뒤 쌓기나무의 수를 세어 비교해 봅니다.

┌ 가에 쌓은 쌓기나무 수: 8개
│ └→ 한 층에 2×2=4(개)씩 2층
│
└ 나에 쌓은 쌓기나무 수: ❷ 개
    └→ 한 층에 2×3=6(개)씩 1층

➡ **쌓기나무의 수가 더 많은 것**은 가이므로 **부피가 더 큰 것**은 가입니다.

정답 ❶ <   ❷ 6

[**1**-1 ~ **2**-1] 두 직육면체 모양 상자의 부피를 비교하려고 합니다. 물음에 답하세요.

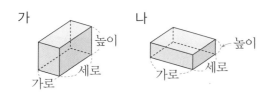

1-1 가로, 세로, 높이를 각각 비교하여 ○ 안에 >, =, <를 알맞게 써넣으세요.

가로: 가 ◯ 나

세로: 가 ◯ 나

높이: 가 ◯ 나

2-1 가와 나의 가로, 세로, 높이를 각각 맞대어 비교하여 어느 상자의 부피가 더 큰지 알 수 있을까요, 없을까요?

(　　　　　　　　　　)

[**3**-1 ~ **4**-1] 직육면체 모양의 상자에 크기가 같은 쌓기나무를 담아 부피를 비교하려고 합니다. 물음에 답하세요.

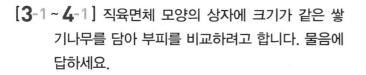

3-1 가와 나 상자에 담을 수 있는 쌓기나무는 각각 몇 개인가요?

가 (　　　　　　　)
나 (　　　　　　　)

4-1 부피가 더 큰 상자는 어느 것인가요?

(　　　　　　　　　)

[**1**-2 ~ **2**-2] 두 직육면체 모양 상자의 부피를 비교하려고 합니다. 물음에 답하세요.

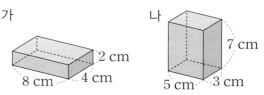

1-2 가로, 세로, 높이를 각각 비교하여 ○ 안에 >, =, <를 알맞게 써넣으세요.

가로: 가(8 cm) ◯ 나(5 cm)

세로: 가(4 cm) ◯ 나(3 cm)

높이: 가(2 cm) ◯ 나(7 cm)

2-2 가와 나의 가로, 세로, 높이를 각각 맞대어 비교하여 어느 상자의 부피가 더 큰지 알 수 있을까요, 없을까요?

(　　　　　　　　　　)

[**3**-2 ~ **4**-2] 직육면체 모양의 상자에 크기가 같은 쌓기나무를 담아 부피를 비교하려고 합니다. 물음에 답하세요.

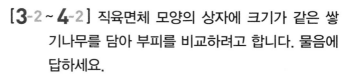

3-2 가와 나 상자에 담을 수 있는 쌓기나무는 각각 몇 개인가요?

가 (　　　　　　　)
나 (　　　　　　　)

4-2 부피가 더 큰 상자는 어느 것인가요?

(　　　　　　　　　)

4주
2일

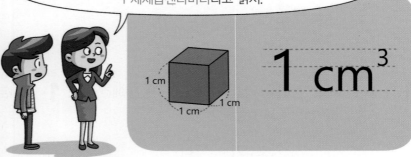

📖 교과서 기초 개념

• 1 cm³ 알아보기

부피를 나타낼 때 **한 모서리의 길이가 1 cm 인 정육면체의 부피를 단위로 사용**할 수 있습니다. 이 정육면체의 부피를 **1 cm³**라 쓰고, **1 세제곱센티미터**라고 읽습니다.

🔲 쓰기 $1\,cm^3$

🔲 읽기   1 세제곱센티미터

• 부피가 1 cm³인 쌓기나무를 사용하여 직육면체의 부피 구하기

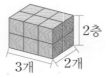

2층
3개   2개

부피가 1 cm³인 쌓기나무가 몇 개인지 세어 직육면체의 부피를 구할 수 있어.

쌓기나무의 수: 12개 → 한 층에 3×2＝6(개)씩 2층이므로 6×2＝12(개)입니다.

직육면체의 부피: ❶ ⬚ cm³

정답 ❶ 12

1-1 한 모서리의 길이가 1 cm인 정육면체의 부피를 바르게 쓴 것에 ◯표 하세요.

1 cm^2	1 cm^3
( )	( )

1-2 1 cm^{3}를 읽어 보세요.

(   )

2-1 부피가 1 cm^{3}인 쌓기나무로 직육면체를 쌓았습니다. ☐ 안에 알맞은 수를 써넣으세요.

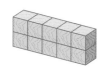

쌓기나무는 한 층에 5개씩 ☐층이므로

☐개가 되어 직육면체의 부피는

☐ cm^{3}입니다.

2-2 부피가 1 cm^{3}인 쌓기나무로 직육면체를 쌓았습니다. ☐ 안에 알맞은 수를 써넣으세요.

쌓기나무는 한 층에 4개씩 ☐층이므로

☐개가 되어 직육면체의 부피는

☐ cm^{3}입니다.

4주
2일

3-1 부피가 1 cm^{3}인 쌓기나무로 직육면체를 쌓았습니다. ☐ 안에 알맞은 수를 써넣으세요.

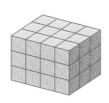

쌓기나무의 수: ☐개

직육면체의 부피: ☐ cm^3

3-2 부피가 1 cm^{3}인 쌓기나무로 직육면체를 쌓았습니다. ☐ 안에 알맞은 수를 써넣으세요.

쌓기나무의 수: ☐개

직육면체의 부피: ☐ cm^3

기초 집중 연습

기본 문제 연습

1-1 세로와 높이가 같음을 이용하여 부피가 더 큰 직육면체의 기호를 써 보세요.

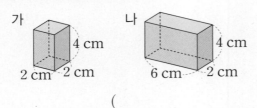

가   나

( )

1-2 가로와 세로가 같음을 이용하여 부피가 더 큰 직육면체의 기호를 써 보세요.

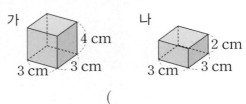

가   나

( )

[**2-1 ~ 2-2**] 직육면체 모양의 상자에 크기가 같은 블록을 담아 상자의 부피를 비교하려고 합니다. 담을 수 있는 블록의 수를 ▢ 안에 써넣고, ◯ 안에 >, =, <를 알맞게 써넣으세요.

2-1

가   나

▢개   ▢개

(가의 부피) ◯ (나의 부피)

2-2

    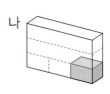

가   나

▢개   ▢개

(가의 부피) ◯ (나의 부피)

[**3-1 ~ 3-2**] 쌓기나무의 수를 세어 직육면체의 부피를 비교하려고 합니다. 쌓기나무의 수를 ▢ 안에 써넣고, ◯ 안에 >, =, <를 알맞게 써넣으세요.

3-1

가   나

▢개   ▢개

(가의 부피) ◯ (나의 부피)

3-2

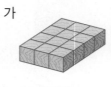

가   나

▢개   ▢개

(가의 부피) ◯ (나의 부피)

 기초 → 기본 연습 부피가 1 cm³인 쌓기나무의 개수를 구하여 부피를 구하자.

기초 부피가 1 cm³인 쌓기나무로 정육면체를 쌓았습니다. □ 안에 알맞은 수를 써넣으세요.

> 쌓기나무는 한 층에 2×2=□(개)씩
>
> 2층이므로 □×2=□(개)입니다.
>
> ➡ 정육면체의 부피: □ cm³

4-1 부피가 1 cm³인 쌓기나무로 정육면체를 쌓았습니다. 이 정육면체의 부피는 몇 cm³인가요?

답 _____

> 부피가 1 cm³인 쌓기나무 ■개의 부피는 ■ cm³예요.

4-2 부피가 1 cm³인 쌓기나무로 직육면체를 쌓았습니다. 이 직육면체의 부피는 몇 cm³인가요?

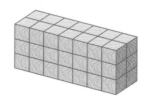

답 _____

4-3 부피가 1 cm³인 쌓기나무로 다음과 같이 직육면체를 쌓았습니다. 가 직육면체의 부피는 나 직육면체의 부피보다 몇 cm³ 큰가요?

가    나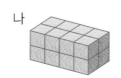

답 _____

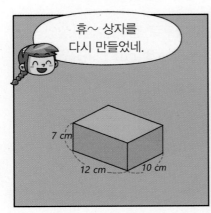

 교과서 기초 개념

- **직육면체의 부피 구하기**

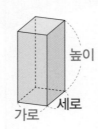

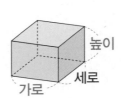

$$(직육면체의 부피) = (가로) \times (세로) \times (높이)$$

$$= (밑면의 넓이) \times (높이)$$

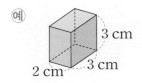

예

$$(직육면체의 부피) = 2 \times 3 \times \boxed{①} = \boxed{②} \ (cm^3)$$

가로 세로 높이

정답 ❶ 3　　❷ 18

1-1 직육면체의 부피를 구하려고 합니다. ☐ 안에 알맞은 수를 써넣으세요.

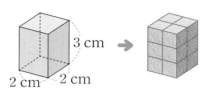

(직육면체의 부피)$=2 \times 2 \times$ ☐

$=$ ☐ (cm^3)

1-2 직육면체의 부피를 구하려고 합니다. ☐ 안에 알맞은 수를 써넣으세요.

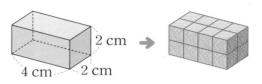

(직육면체의 부피)$=4 \times$ ☐ $\times$ ☐

$=$ ☐ (cm^3)

2-1 직육면체의 부피를 구하려고 합니다. ☐ 안에 알맞은 수를 써넣으세요.

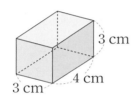

(직육면체의 부피)$=$(가로)$\times$(세로)$\times$(높이)

$=3 \times$ ☐ $\times$ ☐

$=$ ☐ (cm^3)

2-2 직육면체의 부피를 구하려고 합니다. ☐ 안에 알맞은 수를 써넣으세요.

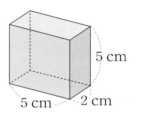

(직육면체의 부피)$=$(가로)$\times$(세로)$\times$(높이)

$=5 \times$ ☐ $\times$ ☐

$=$ ☐ (cm^3)

3-1 직육면체의 부피는 몇 cm^{3}인가요?

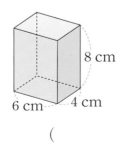

(   )

3-2 직육면체의 부피는 몇 cm^{3}인가요?

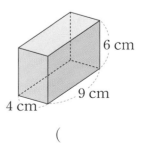

(   )

4주
3일

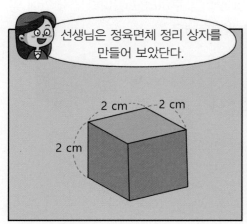

선생님은 정육면체 정리 상자를 만들어 보았단다.

정육면체는 가로, 세로, 높이가 모두 같으니까 한 모서리의 길이만 알아도 부피를 구할 수 있네요.

응~ 그럼그럼.

(정육면체의 부피)
=(한 모서리의 길이)×(한 모서리의 길이)×(한 모서리의 길이)

안 쓰는 물건들을 상자에 정리해 놔야지.

상자가 크니까 물건이 많이 들어가네~ 히힛~

이건 지우개 하나밖에 안 들어 가는구나.

너무 작게 만드셨네요.

 교과서 기초 개념

• 정육면체의 부피 구하기

정육면체는 모서리의 길이가 모두 같으므로 가로, 세로, 높이가 모두 같아.

(정육면체의 부피)=(가로)×(세로)×(높이)
=(한 모서리의 길이)×(한 모서리의 길이)×(한 모서리의 길이)

예

 1 cm 1 cm 1 cm

$(\text{정육면체의 부피})=1 \times 1 \times \boxed{❶} = \boxed{❷} \ (\text{cm}^3)$

1-1 정육면체의 부피를 구하려고 합니다. ☐ 안에 알맞은 수를 써넣으세요.

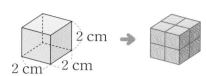

(정육면체의 부피)=2×☐×☐

=☐ (cm³)

1-2 정육면체의 부피를 구하려고 합니다. ☐ 안에 알맞은 수를 써넣으세요.

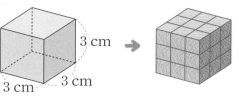

(정육면체의 부피)=3×☐×☐

=☐ (cm³)

2-1 정육면체의 부피를 구하려고 합니다. ☐ 안에 알맞은 수를 써넣으세요.

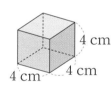

(정육면체의 부피)=☐×☐×☐

=☐ (cm³)

2-2 정육면체의 부피를 구하려고 합니다. ☐ 안에 알맞은 수를 써넣으세요.

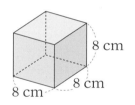

(정육면체의 부피)=☐×☐×☐

=☐ (cm³)

3-1 정육면체의 부피는 몇 cm³인가요?

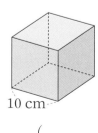

(   )

3-2 정육면체의 부피는 몇 cm³인가요?

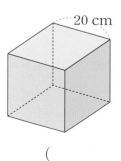

(   )

4주
3일

기초 집중 연습

 기본 문제 연습

1-1 직육면체의 부피는 몇 cm³인가요?

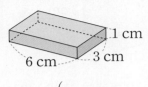

( )

1-2 직육면체의 부피는 몇 cm³인가요?

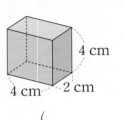

( )

2-1 정육면체의 부피는 몇 cm³인가요?

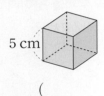

( )

2-2 정육면체의 부피는 몇 cm³인가요?

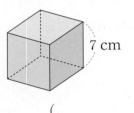

( )

3-1 다음 정육면체의 부피는 몇 cm³인가요?

한 모서리의 길이가 3 cm인 정육면체

( )

3-2 다음 정육면체의 부피는 몇 cm³인가요?

한 모서리의 길이가 6 cm인 정육면체

( )

4-1 부피가 더 큰 것의 기호를 써 보세요.

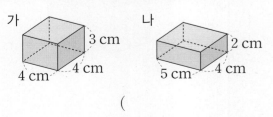

( )

4-2 부피가 더 큰 것의 기호를 써 보세요.

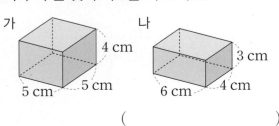

( )

 기초 → 문장제 연습   부피를 구하려면 가로, 세로, 높이를 찾자.

 길이가 다음과 같은 직육면체의 부피는 몇 cm³인가요?

> 가로: 2 cm, 세로: 1 cm, 높이: 3 cm

답 _____

> 직육면체의 가로, 세로, 높이를 알면 부피를 구할 수 있어요.

5-1 가로가 2 cm, 세로가 1 cm, 높이가 3 cm인 직육면체 모양의 상자가 있습니다. 이 상자의 부피는 몇 cm³인가요?

식 $2 \times \boxed{} \times \boxed{} = \boxed{}$
_____

답 _____

5-2 가로가 12 cm, 세로가 9 cm, 높이가 4 cm인 직육면체 모양의 필통이 있습니다. 이 필통의 부피는 몇 cm³인가요?

식 _____

답 _____

5-3 가로는 5 cm, 세로는 가로의 2배, 높이는 7 cm인 직육면체 모양의 상자가 있습니다. 이 상자의 부피는 몇 cm³인지 알아보세요.

(1) 상자의 세로는 몇 cm인가요?

답 _____

(2) 상자의 부피는 몇 cm³인가요?

답 _____

직육면체의 부피와 겉넓이

m³ 알아보기 (1)

한 모서리의 길이가 1 m인 정육면체네요.

1 m 1 m 1 m

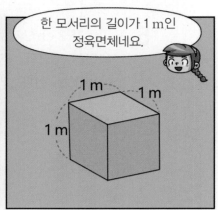

이 정육면체의 부피를 1 m³라 쓰고, 1 세제곱미터라고 읽는단다.

1 m^3

택배가 도착했네.

근데 뭘 사셨길래 상자가 이렇게 커요?

그러게나 말이다…….
책 한 권을 주문했는데 왜 이렇게 큰 상자에 왔을까?

그…그러게요…….

교과서 기초 개념

• 1 m³ 알아보기

부피를 나타낼 때 **한 모서리의 길이가 1 m 인 정육면체의 부피를 단위로 사용**할 수 있습니다. 이 정육면체의 부피를 **1 m³**라 쓰고, **1 세제곱미터**라고 읽습니다.

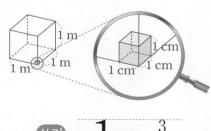

1 m 1 m 1 m
1 cm 1 cm 1 cm 1 cm

쓰기 1 m^3

읽기 1 세제곱미터

• 부피 구하기

예

2 m 2 m 1 m

(직육면체의 부피)
$= 2 \times 1 \times$ ❶

$=$ ❷ (m^3)

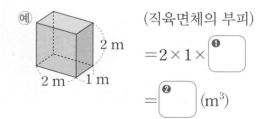

단위를 쓸 때 cm³와 m³를 헷갈리지 않도록 주의해.

정답 ❶ 2   ❷ 4

1-1 한 모서리의 길이가 1 m인 정육면체의 부피를 바르게 쓴 것에 ○표 하세요.

1 cm³	1 m³
( )	( )

1-2 1 m³를 읽어 보세요.

(   )

2-1 직육면체의 부피를 구하려고 합니다. ☐ 안에 알맞은 수를 써넣으세요.

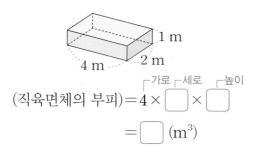

(직육면체의 부피)$= 4 \times \boxed{} \times \boxed{}$
$= \boxed{} \ (\text{m}^3)$

2-2 정육면체의 부피를 구하려고 합니다. ☐ 안에 알맞은 수를 써넣으세요.

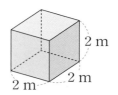

(정육면체의 부피)$= 2 \times \boxed{} \times \boxed{}$
$= \boxed{} \ (\text{m}^3)$

3-1 직육면체의 부피는 몇 m³인가요?

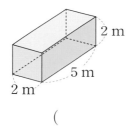

(   )

3-2 직육면체의 부피는 몇 m³인가요?

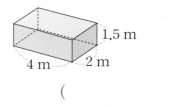

(   )

4-1 정육면체의 부피는 몇 m³인가요?

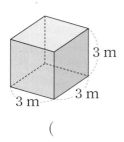

(   )

4-2 정육면체의 부피는 몇 m³인가요?

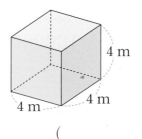

(   )

• $1\ m^3$와 $1\ cm^3$의 관계

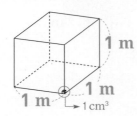

$1\ m^3 = 1\ m \times 1\ m \times \boxed{①}\ m$

$= 100\ cm \times 100\ cm \times \boxed{②}\ cm$

$= 1000000\ cm^3$

$1\ m^3 = 1000000\ cm^3$

> $1\ m^3$ 안에 한 모서리의 길이가 $1\ cm$인 정육면체가 가로, 세로, 높이에 각각 100개씩 들어가는 거야.

정답 ❶ 1   ❷ 100

1-1 직육면체를 보고 ☐ 안에 알맞은 수를 써넣으세요.

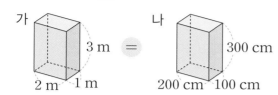

가   나

3 m   =   300 cm

2 m   1 m   200 cm   100 cm

- (가의 부피)=2×☐×☐

    =☐ (m³)

- (나의 부피)=200×☐×☐

    =☐ (cm³)

➡ 6 m³=☐ cm³

1-2 정육면체를 보고 ☐ 안에 알맞은 수를 써넣으세요.

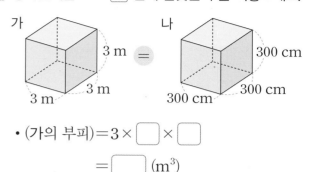

가   나

3 m   =   300 cm

3 m   3 m   300 cm   300 cm

- (가의 부피)=3×☐×☐

    =☐ (m³)

- (나의 부피)=300×☐×☐

    =☐ (cm³)

➡ 27 m³=☐ cm³

2-1 ☐ 안에 알맞은 수를 써넣으세요.

(1) 1 m³=☐ cm³

(2) 3 m³=☐ cm³

2-2 ☐ 안에 알맞은 수를 써넣으세요.

(1) 1000000 cm³=☐ m³

(2) 15000000 cm³=☐ m³

4주
4일

[3-1 ~ 4-1] 직육면체를 보고 물음에 답하세요.

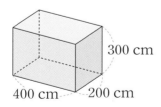

300 cm

400 cm   200 cm

3-1 직육면체의 부피는 몇 cm³인가요?

(   )

[3-2 ~ 4-2] 정육면체를 보고 물음에 답하세요.

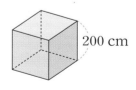

200 cm

3-2 정육면체의 부피는 몇 cm³인가요?

(   )

4-1 직육면체의 부피는 몇 m³인가요?

(   )

4-2 정육면체의 부피는 몇 m³인가요?

(   )

기초 집중 연습

 기본 문제 연습

1-1 직육면체의 부피는 몇 m³인가요?

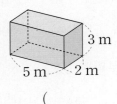

( )

1-2 정육면체의 부피는 몇 m³인가요?

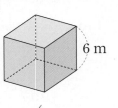

( )

2-1 부피를 비교하여 ○ 안에 >, =, <를 알맞게 써넣으세요.

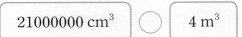

| 21000000 cm³ | ○ | 4 m³ |

2-2 부피를 비교하여 ○ 안에 >, =, <를 알맞게 써넣으세요.

| 3.7 m³ | ○ | 3000000 cm³ |

3-1 직육면체의 부피는 몇 m³인가요?

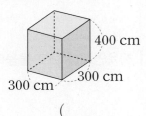

( )

3-2 정육면체의 부피는 몇 m³인가요?

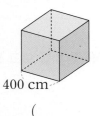

( )

4-1 직육면체의 부피는 몇 m³인가요?

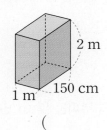

( )

4-2 직육면체의 부피는 몇 m³인가요?

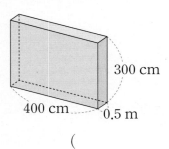

( )

기초 → 문장제 연습 '1 m³ = 1000000 cm³'를 이용하여 부피를 구하자.

 □ 안에 알맞은 수를 써넣으세요.

7.2 m³ = [   ] cm³

 어떤 상황에서 이용되는지 알아볼까요?

5-1 주아네 집 옷장의 부피는 7.2 m³입니다. 이 옷장의 부피는 몇 cm³인가요?

답 _____

5-2 서준이네 집 서랍장의 부피는 2500000 cm³입니다. 이 서랍장의 부피는 몇 m³인가요?

답 _____

5-3 플라스틱 분리수거 상자의 부피는 1.4 m³이고, 종이 분리수거 상자의 부피는 플라스틱 분리수거 상자 부피의 2배입니다. 종이 분리수거 상자의 부피는 몇 cm³인지 알아보세요.

(1) 종이 분리수거 상자의 부피는 몇 m³인가요?

답 _____

(2) 종이 분리수거 상자의 부피는 몇 cm³인가요?

답 _____

금덩이를 만들어야겠어.

가로가 5 cm, 세로가 4 cm, 높이가 3 cm 인 직육면체 모양으로 만들어야지~

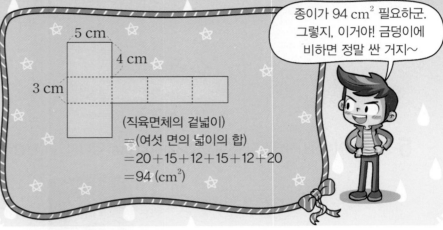

종이가 94 cm² 필요하군. 그렇지, 이거야! 금덩이에 비하면 정말 싼 거지~

(직육면체의 겉넓이)
=(여섯 면의 넓이의 합)
=20+15+12+15+12+20
=94 (cm²)

교과서 기초 개념

• 전개도를 이용하여 직육면체의 겉넓이 구하기
└▶ 직육면체의 여섯 면의 넓이의 합

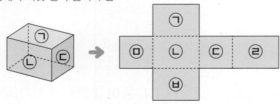

방법 1 여섯 면의 넓이를 각각 구해 모두 더하기
➡ ㉠+㉡+㉢+㉣+㉤+㉥

방법 2 합동인 면이 세 쌍이므로 세 면의 넓이 (㉠, ㉡, ㉢)의 합을 구한 뒤 2배 하기
➡ (㉠+㉡+㉢)×2

합동인 면이 ㉠과 ㉥, ㉡과 ㉣, ㉢과 ㉤으로 3쌍입니다.

방법 3 두 밑면의 넓이와 옆면의 넓이 더하기
       ㉠, ㉥
➡ (한 밑면의 넓이)×2+(옆면의 넓이)
= ㉠×2+(㉤, ㉡, ㉢, ㉣의 넓이)

㉤, ㉡, ㉢, ㉣을 하나의 직사각형으로 봐.

[1-1 ~ 3-1] 직육면체의 겉넓이를 주어진 방법으로 구하세요.

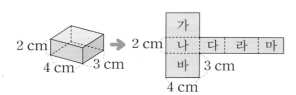

1-1 여섯 면의 넓이의 합으로 구하세요.

가＋나＋다＋라＋마＋바

＝12＋8＋6＋☐＋☐＋☐

＝☐ (cm²)

2-1 합동인 면이 세 쌍이므로 세 면의 넓이(가, 나, 다)의 합을 이용하여 구하세요.

$$\left(\boxed{가}\,{\scriptstyle 4\,cm}^{3\,cm} + \boxed{나}\,{\scriptstyle 4\,cm}^{2\,cm} + \boxed{다}\,{\scriptstyle 3\,cm}^{2\,cm}\right) \times 2$$

＝(12＋☐＋☐)×☐＝☐ (cm²)

3-1 두 밑면의 넓이와 옆면의 넓이를 더하는 방법으로 구하세요.

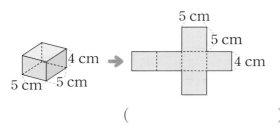

＝(4×3)×2＋(4＋3＋4＋3)×☐

＝☐ (cm²)

4-1 직육면체의 겉넓이는 몇 cm²인가요?

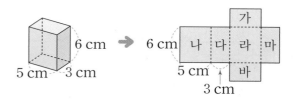

(　　　　)

[1-2 ~ 3-2] 직육면체의 겉넓이를 주어진 방법으로 구하세요.

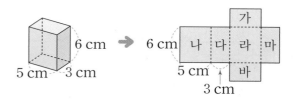

1-2 여섯 면의 넓이의 합으로 구하세요.

가＋나＋다＋라＋마＋바

＝15＋30＋18＋☐＋☐＋☐

＝☐ (cm²)

2-2 합동인 면이 세 쌍이므로 세 면의 넓이(가, 나, 다)의 합을 이용하여 구하세요.

$$\left(\boxed{가}\,{\scriptstyle 5\,cm}^{3\,cm} + \boxed{나}\,{\scriptstyle 5\,cm}^{6\,cm} + \boxed{다}\,{\scriptstyle 3\,cm}^{6\,cm}\right) \times 2$$

＝(15＋☐＋☐)×2＝☐ (cm²)

4주
5일

3-2 두 밑면의 넓이와 옆면의 넓이를 더하는 방법으로 구하세요.

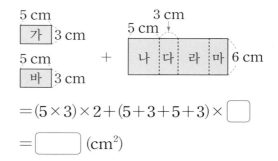

＝(5×3)×2＋(5＋3＋5＋3)×☐

＝☐ (cm²)

4-2 직육면체의 겉넓이는 몇 cm²인가요?

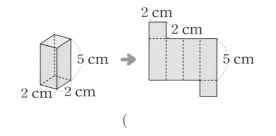

(　　　　)

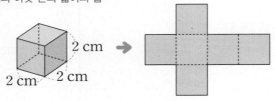

교과서 기초 개념

- **전개도를 이용하여 정육면체의 겉넓이 구하기**
  └▶ 정육면체의 여섯 면의 넓이의 합

방법1 **여섯 면의 넓이를 각각 구해 모두 더하기**

(여섯 면의 넓이의 합)

$= 2 \times 2 + 2 \times 2 + 2 \times 2 + 2 \times 2 + 2 \times 2 + 2 \times 2$

$= 4 + 4 + 4 + 4 + 4 + 4 = \boxed{❶} \ (cm^2)$

방법2 **한 면의 넓이를 6배 하여 구하기** ┐
여섯 면의 넓이가 모두 같습니다.

(한 면의 넓이) $\times 6$

$= ($한 모서리의 길이$) \times ($한 모서리의 길이$) \times 6$

$= 2 \times 2 \times \boxed{❷} = 24 \ (cm^2)$

> **(정육면체의 겉넓이)=(한 모서리의 길이)×(한 모서리의 길이)×6**

정답 ❶ 24   ❷ 6

[**1**-1 ~ **2**-1] 정육면체의 겉넓이를 주어진 방법으로 구하세요.

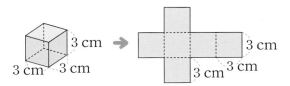

1-1 여섯 면의 넓이의 합으로 구하세요.

$$9+9+\boxed{}+\boxed{}+\boxed{}+\boxed{}$$
$$=\boxed{}(cm^2)$$

2-1 한 면의 넓이를 6배 하여 구하세요.

$$3\times3\times\boxed{}=\boxed{}(cm^2)$$

[**1**-2 ~ **2**-2] 정육면체의 겉넓이를 주어진 방법으로 구하세요.

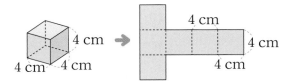

1-2 여섯 면의 넓이의 합으로 구하세요.

$$16+16+\boxed{}+\boxed{}+\boxed{}+\boxed{}$$
$$=\boxed{}(cm^2)$$

2-2 한 면의 넓이를 6배 하여 구하세요.

$$4\times4\times\boxed{}=\boxed{}(cm^2)$$

[**3**-1 ~ **4**-1] 정육면체의 겉넓이를 구하려고 합니다. 물음에 답하세요.

3-1 한 면의 넓이는 몇 cm²인가요?

( )

4-1 정육면체의 겉넓이는 몇 cm²인가요?

( )

[**3**-2 ~ **4**-2] 정육면체의 겉넓이를 구하려고 합니다. 물음에 답하세요.

3-2 한 면의 넓이는 몇 cm²인가요?

( )

4-2 정육면체의 겉넓이는 몇 cm²인가요?

( )

기초 집중 연습

 기본 문제 연습

1-1 직육면체의 겉넓이는 몇 cm²인가요?

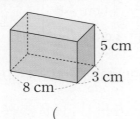

( )

1-2 직육면체의 겉넓이는 몇 cm²인가요?

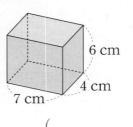

( )

2-1 정육면체의 겉넓이는 몇 cm²인가요?

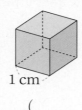

( )

2-2 정육면체의 겉넓이는 몇 cm²인가요?

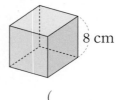

( )

3-1 전개도에서 색칠한 면의 넓이는 84 cm²입니다. 전개도로 만든 직육면체의 겉넓이는 몇 cm²인가요?

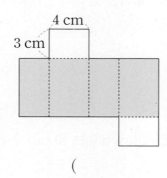

( )

3-2 전개도에서 색칠한 면의 넓이는 56 cm²입니다. 전개도로 만든 직육면체의 겉넓이는 몇 cm²인가요?

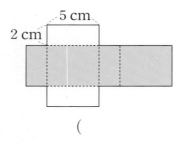

( )

기초 → 문장제 연습　정육면체의 겉넓이를 구할 때에는 한 모서리의 길이를 확인하자.

 길이가 다음과 같은 정육면체의 겉넓이는 몇 cm²인가요?

한 모서리의 길이: 10 cm

답 _____

정육면체의 한 모서리의 길이를 알면 겉넓이를 구할 수 있어요.

4-1 다음 전개도를 이용하여 정육면체 모양의 상자를 만들었습니다. 이 상자의 겉넓이는 몇 cm²인가요?

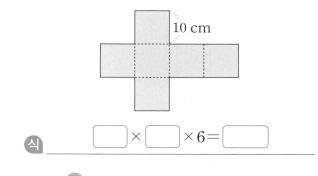

식 ☐ × ☐ × 6 = ☐

답 _____

4-2 다음 전개도를 이용하여 정육면체 모양의 상자를 만들었습니다. 이 상자의 겉넓이는 몇 cm²인가요?

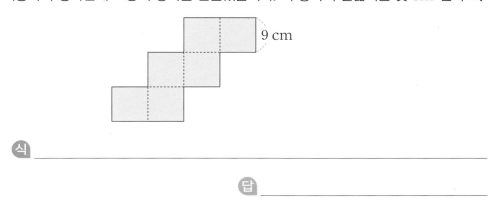

9 cm

식 _____

답 _____

4-3 다음 전개도를 이용하여 정육면체 모양의 상자를 만들었습니다. 이 상자의 겉넓이는 몇 cm²인가요?

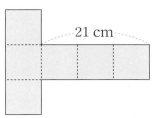

21 cm

답 _____

정육면체의 한 모서리의 길이를 먼저 구해 봐.

누구나 100점 맞는 테스트

1 한 모서리의 길이가 1 cm인 정육면체의 부피를 바르게 나타낸 것에 ○표 하세요.

1 cm^3	1 cm^2
(　　　)	(　　　)

2 정육면체의 부피를 구하려고 합니다. ☐ 안에 알맞은 수를 써넣으세요.

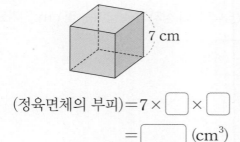

7 cm

(정육면체의 부피)=7 × ☐ × ☐

　　　　　　　　 = ☐ (cm^3)

3 ☐ 안에 알맞은 수를 써넣으세요.

(1) 8 m^3= ☐ cm^3

(2) 150000000 cm^3= ☐ m^3

[4 ~ 5] 민영이네 반 학생들이 좋아하는 운동을 조사하여 나타낸 원그래프입니다. 물음에 답하세요.

좋아하는 운동별 학생 수

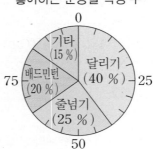

0

기타 (15 %)

달리기 (40 %)

25

75

배드민턴 (20 %)

줄넘기 (25 %)

50

4 배드민턴을 좋아하는 학생은 전체의 몇 %인가요?

©Anton Starikov/shutterstock

(　　　　　　　　)

5 가장 많은 학생이 좋아하는 운동은 무엇인가요?

(　　　　　　　　)

[6 ~ 7] 유진이네 학교 학생들이 좋아하는 꽃을 조사하여 나타낸 표입니다. 물음에 답하세요.

좋아하는 꽃별 학생 수

꽃	장미	튤립	백합	기타	합계
학생 수(명)	21	12	18	9	60

6 전체 학생 수에 대한 좋아하는 꽃별 학생 수의 백분율을 구하여 표를 완성해 보세요.

좋아하는 꽃별 학생 수

꽃	장미	튤립	백합	기타	합계
백분율(%)					100

7 위 **6**의 표를 보고 원그래프로 나타내세요.

좋아하는 꽃별 학생 수

 차지하는 부분만큼 선을 그어 원을 나누고 각 항목의 내용과 백분율을 써.

8 직육면체의 겉넓이는 몇 cm²인가요?

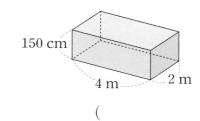

(   )

9 직육면체의 부피는 몇 m³인가요?

150 cm

4 m   2 m

(   )

10 부피가 1 cm³인 쌓기나무를 사용하여 직육면체를 쌓았습니다. 나는 가보다 부피가 몇 cm³ 더 큰가요?

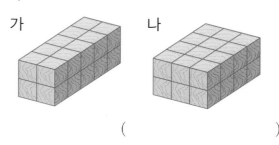

가   나

(   )

창의·융합·코딩

[1~2] 상준이와 지윤이는 아몬드와 호두의 영양 성분을 조사하여 원그래프로 나타내었습니다. 물음에 답하세요.

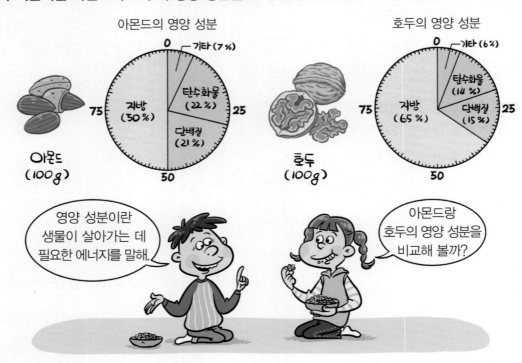

융합 1 바르게 설명한 것에 ○표, 잘못 설명한 것에 ×표 하세요.

(1) 아몬드의 가장 많은 영양 성분은 지방입니다. (   )

(2) 아몬드의 탄수화물은 14 % 입니다. (   )

(3) 호두의 가장 많은 영양 성분은 단백질입니다. (   )

(4) 호두의 두 번째로 많은 영양 성분은 단백질입니다. (   )

융합 2 각 영양 성분 전체에 대한 지방의 비율이 더 높은 것은 아몬드와 호두 중 어느 것인가요?

 답 _____

▶ 정답 및 풀이 32쪽

[3~5] 장난감 자동차를 상자에 담아 두려고 합니다. 물음에 답하세요.

 ㉠과 ㉡ 중에서 장난감 자동차를 담을 수 있는 상자는 무엇인가요?

답 _____

 위 에서 구한 상자의 부피는 몇 cm³인가요?

답 _____

 위 에서 구한 상자의 겉넓이는 몇 cm²인가요?

답 _____

창의·융합·코딩

창의 6 직육면체 가와 정육면체 나의 전개도를 완성하고 겉넓이는 각각 몇 cm²인지 구하세요.

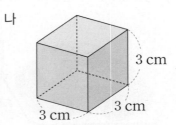

(1) 직육면체 가

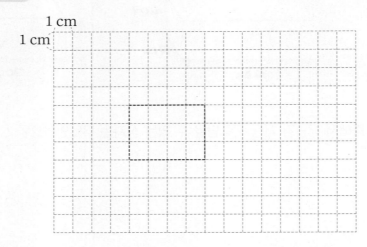

답 _____

(2) 정육면체 나

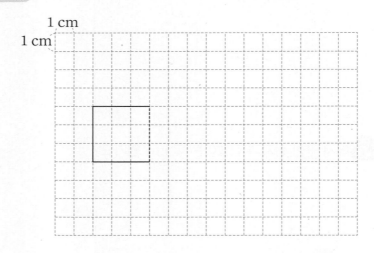

답 _____

[7~8] 하린이네 학교 학생들이 멸종 위기 동물에 대한 자료를 본 후 관심있는 동물을 조사하여 표로 나타내었습니다. 물음에 답하세요.

관심있는 동물별 학생 수

동물	늑대	수달	여우	호랑이	표범	합계
학생 수(명)	6	8	10	12	4	40

위의 표를 보고 전체 학생 수에 대한 관심있는 동물별 학생 수의 백분율을 구하여 표를 완성해 보세요.

관심있는 동물별 학생 수

동물	늑대	수달	여우	호랑이	표범	합계
백분율(%)	15					

융합8 위 융합7 의 표를 보고 띠그래프와 원그래프로 나타내세요.

관심있는 동물별 학생 수

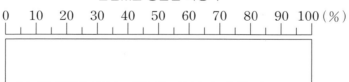

관심있는 동물별 학생 수

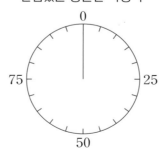

[9~10] 다음은 부피의 단위인 m^3를 cm^3 단위로 변환하여 구할 수 있는 순서도입니다. 물음에 답하세요.

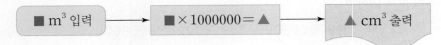

■ m^3 입력 → ■ × 1000000 = ▲ → ▲ cm^3 출력

코딩 9 0.9 m^3를 입력했을 때 출력값을 구하세요.

답 _____

코딩 10 140000000 cm^3가 출력되었을 때 입력값을 구하세요.

답 _____

코딩 11 다음은 정육면체의 한 모서리의 길이가 주어졌을 때 겉넓이를 구할 수 있는 순서도입니다. 7 cm를 입력했을 때 출력값을 구하세요.

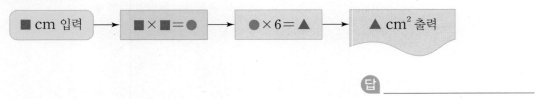

■ cm 입력 → ■ × ■ = ● → ● × 6 = ▲ → ▲ cm^2 출력

답 _____

카스텔라를 한 모서리의 길이가 5 cm인 정육면체 조각으로 모두 자르려고 합니다. 카스텔라는 몇 조각이 되나요?

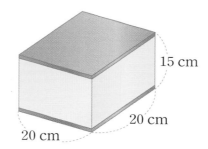

15 cm

20 cm

20 cm

답 _____

창의 13 직육면체 모양의 수조에 돌을 넣었더니 물의 높이가 2 cm 높아졌습니다. 이 돌의 부피는 몇 cm³인지 알아보세요.

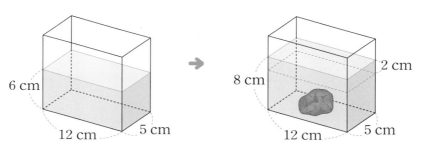

6 cm

12 cm   5 cm

8 cm

2 cm

12 cm   5 cm

(1) 알맞은 말에 ◯표 하세요.

> 돌의 부피는 (높아진 , 처음에 있던) 물의 높이만큼의 부피와 같습니다.

(2) 위 (1)에서 구한 돌의 부피와 같은 물의 높이만큼의 부피는 몇 cm³인가요?

답 _____

(3) 돌의 부피는 몇 cm³인가요?

답 _____

초등 수학 기초 학습 능력 강화 교재

하루하루 쌓이는 수학 자신감!

똑똑한 하루

수학 시리즈

초등 수학 첫 걸음

수학 공부, 절대 지루하면 안 되니까~
하루 10분 학습 커리큘럼으로
쉽고 재미있게 수학과 친해지기!

학습 영양 밸런스

〈수학〉은 물론 〈계산〉, 〈도형〉, 〈사고력〉편까지
초등 수학 전 영역을 커버하는 맞춤형 교재로
편식은 NO! 완벽한 수학 영양 밸런스!

창의·사고력 확장

초등학생에게 꼭 필요한 수학 지식과
창의·융합·사고력 확장을 위한
재미있는 문제 구성으로 힘찬 워밍업!

우리 아이 공부습관 프로젝트! 예비초~초6

하루 수학 (1~6학년 1·2학기, 12권)

하루 계산 (예비초~6학년 각 A·B, 14권)

하루 도형 (예비초~6학년 각 A·B, 14권)

하루 사고력 (1~6학년 각 A·B, 12권)

똑똑한 하루 시/리/즈

✂ 쉽다!

10분이면 하루치 공부를 마칠 수 있는 커리큘럼으로,
아이들이 초등 학습에 쉽고 재미있게 접근할 수 있도록
구성하였습니다.

🧩 재미있다!

교과서는 물론 생활 속에서 쉽게 접할 수 있는
다양한 소재와 재미있는 게임 형식의 문제로
흥미로운 학습이 가능합니다.

📖 똑똑하다!

초등학생에게 꼭 필요한 학습 지식 습득은 물론
창의력 확장까지 가능한 교재로 올바른 공부습관을
가지는 데 도움을 줍니다.

과목	교재 구성	과목	교재 구성
하루 독해	예비초~6학년 각 A·B (14권)	하루 VOCA	3~6학년 각 A·B (8권)
하루 어휘	예비초~6학년 각 A·B (14권)	하루 Grammar	3~6학년 각 A·B (8권)
하루 글쓰기	예비초~6학년 각 A·B (14권)	하루 Reading	3~6학년 각 A·B (8권)
하루 한자	예비초: 예비초 A·B (2권) 1~6학년: 1A~4C (12권)	하루 Phonics	Starter A·B / 1A~3B (8권)
하루 수학	1~6학년 1·2학기 (12권)	하루 봄·여름·가을·겨울	1~2학년 각 2권 (8권)
하루 계산	예비초~6학년 각 A·B (14권)	하루 사회	3~6학년 1·2학기 (8권)
하루 도형	예비초~6학년 각 A·B (14권)	하루 과학	3~6학년 1·2학기 (8권)
하루 사고력	1~6학년 각 A·B (12권)	하루 안전	1~2학년 (2권)

※ 각 교재별 출간 시기는 조금씩 다르며, 일부 교재는 순차적으로 출시될 예정입니다.

정답 및 풀이

똑똑한
하루
수학

초등
수학 **6·1**

천재교육

정답 및 풀이
포인트 ❸가지

▶ OX 퀴즈로 쉬어가며 개념 확인

▶ 혼자서도 이해할 수 있는 문제 풀이

▶ 참고, 주의 등 자세한 풀이 제시

1주 분수의 나눗셈 ~ 각기둥과 각뿔

✸ 개념 ⭕❌ 퀴즈

옳으면 ⭕에, 틀리면 ❌에 ⭕표 하세요.

퀴즈 1

$$\frac{3}{4} \div 2 = \frac{3}{4 \div 2} = \frac{3}{2} = 1\frac{1}{2}$$

⭕   ❌

퀴즈 2

각기둥에서 두 밑면은 서로 평행하고 합동입니다.

⭕   ❌

정답은 9쪽에서 확인하세요.

6~7쪽 이번 주에는 무엇을 공부할까? ②

1-1 $15\frac{5}{9}$ **1-2** $20\frac{4}{7}$

2-1 (1) <   (2) <   **2-2** (⭕)(   )

3-1 태연   **3-2** 우석

4-1 $\frac{5}{24}$ m   **4-2** $\frac{14}{45}$ m

1-1 $3\frac{1}{9} \times 5 = \frac{28}{9} \times 5$

$$= \frac{140}{9} = 15\frac{5}{9}$$

1-2 $9 \times 2\frac{2}{7} = 9 \times \frac{16}{7}$

$$= \frac{144}{7} = 20\frac{4}{7}$$

2-1 (1) $\frac{1}{7} \times \frac{1}{9} = \frac{1}{63}$ 이므로 $\frac{1}{7}$ 보다 작습니다.

➜ $\frac{1}{7} \times \frac{1}{9} < \frac{1}{7}$

(2) $\frac{1}{5} \times \frac{1}{2} = \frac{1}{10}$ 이므로 $\frac{1}{2}$ 보다 작습니다.

➜ $\frac{1}{5} \times \frac{1}{2} < \frac{1}{2}$

참고

• 곱하는 수가 1보다 크면
(곱해지는 수)<(계산 결과)
• 곱하는 수가 1보다 작으면
(곱해지는 수)>(계산 결과)

2-2 $3 \times 1\frac{1}{2} = 3 \times \frac{3}{2} = \frac{9}{2} = 4\frac{1}{2}$

➜ $4\frac{1}{2} > 3$

다른 풀이

$3 \times 1\frac{1}{2}$ 에서 곱하는 수 $1\frac{1}{2}$ 이 1보다 크므로
(곱해지는 수)<(계산 결과)입니다.

➜ $3 < 3 \times 1\frac{1}{2}$

3-1 수현: $4 \times \frac{2}{3} = \frac{8}{3} = 2\frac{2}{3}$

태연: $9 \times \frac{4}{7} = \frac{36}{7} = 5\frac{1}{7}$

3-2 영탁: $\frac{3}{5} \times 7 = \frac{21}{5} = 4\frac{1}{5}$

우석: $\frac{7}{10} \times 3 = \frac{21}{10} = 2\frac{1}{10}$

4-1 (사용한 색 테이프의 길이)

$$= \frac{5}{\overset{}{9}} \times \frac{\overset{1}{3}}{8} = \frac{5}{24} \text{ (m)}$$

4-2 (사용한 리본의 길이)

$$= \frac{7}{\underset{3}{12}} \times \frac{\overset{2}{8}}{15} = \frac{14}{45} \text{ (m)}$$

1-1 $\dfrac{1}{5}$　　　　**1**-2 $\dfrac{3}{4}$

2-1 $3,\ \dfrac{3}{7}$　　　　**2**-2 $5,\ \dfrac{5}{6}$

3-1 (1) $\dfrac{1}{3}$　(2) $\dfrac{9}{20}$　　**3**-2 (1) $\dfrac{4}{9}$　(2) $\dfrac{7}{11}$

4-1 $\dfrac{2}{5}$　　　　**4**-2 $\dfrac{14}{15}$

1-1 $1÷5$의 몫은 1을 5등분한 것 중의 하나이므로 $\dfrac{1}{5}$입니다.

4-1 $2÷5=\dfrac{2}{5}$

4-2 $14<15$이므로 $14÷15=\dfrac{14}{15}$입니다.

1-1 $\dfrac{5}{4},\ 1\dfrac{1}{4}$　　　　**1**-2 $\dfrac{4}{3},\ 1\dfrac{1}{3}$

2-1 (위에서부터) $7,\ 7,\ 1\dfrac{2}{5}$

2-2 (위에서부터) $9,\ 9,\ 1\dfrac{1}{8}$

3-1 $3\dfrac{1}{3}\left(=\dfrac{10}{3}\right)$　　**3**-2 $1\dfrac{5}{7}\left(=\dfrac{12}{7}\right)$

4-1 $1\dfrac{5}{6}\left(=\dfrac{11}{6}\right)$　　**4**-2 $2\dfrac{1}{13}\left(=\dfrac{27}{13}\right)$

1-1 $5÷4$는 $\dfrac{1}{4}$이 5개이므로 $\dfrac{5}{4}=1\dfrac{1}{4}$입니다.

1-2 $4÷3$은 $\dfrac{1}{3}$이 4개이므로 $\dfrac{4}{3}=1\dfrac{1}{3}$입니다.

4-1 $11÷6=\dfrac{11}{6}=1\dfrac{5}{6}$

4-2 $27÷13=\dfrac{27}{13}=2\dfrac{1}{13}$

1-1 $\dfrac{6}{25}$　　　　**1**-2 $4\dfrac{1}{6}\left(=\dfrac{25}{6}\right)$

2-1 $\dfrac{13}{20}$　　　　**2**-2 $2\dfrac{5}{6}\left(=\dfrac{17}{6}\right)$

3-1 정우　　　　**3**-2 진수, $1\dfrac{1}{49}\left(=\dfrac{50}{49}\right)$

4-1 $<$　　　　**4**-2 $>$

연산 $\dfrac{3}{8}$　　　　**5**-1 $3÷8=\dfrac{3}{8},\ \dfrac{3}{8}$ L

5-2 $9÷4=2\dfrac{1}{4}\left(=\dfrac{9}{4}\right),\ 2\dfrac{1}{4}$ m²$\left(=\dfrac{9}{4}\ \text{m}^2\right)$

5-3 $6÷5=1\dfrac{1}{5}\left(=\dfrac{6}{5}\right),\ 1\dfrac{1}{5}$ m$\left(=\dfrac{6}{5}\ \text{m}\right)$

2-1 $13<20$ ➡ $13÷20=\dfrac{13}{20}$

2-2 $17>6$ ➡ $17÷6=\dfrac{17}{6}=2\dfrac{5}{6}$

3-1 정우: $4÷7=\dfrac{4}{7}$

3-2 진수: $50÷49=\dfrac{50}{49}=1\dfrac{1}{49}$

4-1 $1÷25=\dfrac{1}{25}$ ➡ $\dfrac{1}{25}<\dfrac{1}{24}$

4-2 $18÷7=\dfrac{18}{7}=2\dfrac{4}{7}$ ➡ $2\dfrac{4}{7}>1\dfrac{5}{7}$

5-1 (하루에 마셔야 할 주스의 양)
　　＝(전체 주스의 양)÷(날수)
　　＝$3÷8=\dfrac{3}{8}$ (L)

5-2 (오이를 심을 텃밭의 넓이)
　　＝(전체 텃밭의 넓이)÷(심을 채소 종류 수)
　　＝$9÷4=\dfrac{9}{4}=2\dfrac{1}{4}$ (m²)

5-3 (철사 한 도막의 길이)
　　＝(전체 철사의 길이)÷(도막 수)
　　＝$6÷5=\dfrac{6}{5}=1\dfrac{1}{5}$ (m)

15쪽 | 개념 · 원리 **확인**

1-1 $\dfrac{2}{7}$　　　　**1**-2 $\dfrac{2}{9}$

2-1 8, 2　　　　**2**-2 3, 3

3-1 (1) $\dfrac{2}{13}$ (2) $\dfrac{7}{15}$　　**3**-2 (1) $\dfrac{3}{17}$ (2) $\dfrac{4}{29}$

4-1　　　　**4**-2

1-1 $\dfrac{6}{7}$ 을 똑같이 셋으로 나눈 것 중의 하나는 $\dfrac{2}{7}$ 입니다.

1-2 $\dfrac{4}{9}$ 를 똑같이 둘로 나눈 것 중의 하나는 $\dfrac{2}{9}$ 입니다.

3-1 (1) $\dfrac{10}{13}\div 5=\dfrac{10\div 5}{13}=\dfrac{2}{13}$

　　 (2) $\dfrac{14}{15}\div 2=\dfrac{14\div 2}{15}=\dfrac{7}{15}$

3-2 (1) $\dfrac{12}{17}\div 4=\dfrac{12\div 4}{17}=\dfrac{3}{17}$

　　 (2) $\dfrac{24}{29}\div 6=\dfrac{24\div 6}{29}=\dfrac{4}{29}$

4-1 $\dfrac{10}{14}\div 2=\dfrac{10\div 2}{14}=\dfrac{5}{14}$

4-2 $\dfrac{21}{25}\div 7=\dfrac{21\div 7}{25}=\dfrac{3}{25}$

17쪽 | 개념 · 원리 **확인**

1-1 $\dfrac{4}{15}$　　　　**1**-2 $\dfrac{2}{9}$

2-1 15, 15, $\dfrac{3}{55}$　　**2**-2 20, 20, $\dfrac{5}{36}$

3-1 (1) $\dfrac{7}{20}$ (2) $\dfrac{6}{35}$　　**3**-2 (1) $\dfrac{8}{45}$ (2) $\dfrac{3}{40}$

4-1 $\dfrac{5}{54}$　　　　**4**-2 $\dfrac{2}{27}$

1-1 전체 15칸 중에서 4칸이므로 $\dfrac{4}{15}$ 입니다.

1-2 전체 9칸 중에서 2칸이므로 $\dfrac{2}{9}$ 입니다.

2-1 $\dfrac{3}{11}\div 5=\dfrac{3\times 5}{11\times 5}\div 5$

2-2 $\dfrac{5}{9}\div 4=\dfrac{5\times 4}{9\times 4}\div 4$

3-1 (1) $\dfrac{7}{10}\div 2=\dfrac{14}{20}\div 2=\dfrac{14\div 2}{20}=\dfrac{7}{20}$

　　 (2) $\dfrac{6}{7}\div 5=\dfrac{30}{35}\div 5=\dfrac{30\div 5}{35}=\dfrac{6}{35}$

3-2 (1) $\dfrac{8}{15}\div 3=\dfrac{24}{45}\div 3=\dfrac{24\div 3}{45}=\dfrac{8}{45}$

　　 (2) $\dfrac{3}{4}\div 10=\dfrac{30}{40}\div 10=\dfrac{30\div 10}{40}=\dfrac{3}{40}$

4-1 $\dfrac{5}{9}\div 6=\dfrac{30}{54}\div 6=\dfrac{30\div 6}{54}=\dfrac{5}{54}$

4-2 $\dfrac{2}{3}\div 9=\dfrac{18}{27}\div 9=\dfrac{18\div 9}{27}=\dfrac{2}{27}$

18~19쪽 | 기초 집중 연습

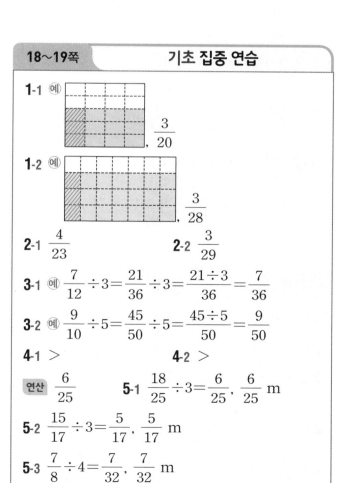

1-1 예 , $\dfrac{3}{20}$

1-2 예 , $\dfrac{3}{28}$

2-1 $\dfrac{4}{23}$　　　　**2**-2 $\dfrac{3}{29}$

3-1 예 $\dfrac{7}{12}\div 3=\dfrac{21}{36}\div 3=\dfrac{21\div 3}{36}=\dfrac{7}{36}$

3-2 예 $\dfrac{9}{10}\div 5=\dfrac{45}{50}\div 5=\dfrac{45\div 5}{50}=\dfrac{9}{50}$

4-1 >　　　　**4**-2 >

연산 $\dfrac{6}{25}$　　**5**-1 $\dfrac{18}{25}\div 3=\dfrac{6}{25}$, $\dfrac{6}{25}$ m

5-2 $\dfrac{15}{17}\div 3=\dfrac{5}{17}$, $\dfrac{5}{17}$ m

5-3 $\dfrac{7}{8}\div 4=\dfrac{7}{32}$, $\dfrac{7}{32}$ m

1-1 $\frac{3}{5}$을 4등분한 것 중의 하나만큼 빗금으로 그어 보면 $\frac{3}{20}$입니다.

2-1 (분수)÷(자연수)$=\frac{16}{23}÷4=\frac{16÷4}{23}=\frac{4}{23}$

2-2 (분수)÷(자연수)$=\frac{27}{29}÷9=\frac{27÷9}{29}=\frac{3}{29}$

4-1 $\frac{24}{25}÷8=\frac{24÷8}{25}=\frac{3}{25}$

➡ $\frac{3}{25}>\frac{1}{25}$

4-2 $\frac{5}{7}÷2=\frac{10}{14}÷2=\frac{10÷2}{14}=\frac{5}{14}$

➡ $\frac{5}{14}>\frac{3}{14}$

5-1 (정삼각형의 한 변의 길이)
$=$(전체 리본의 길이)÷3
$=\frac{18}{25}÷3=\frac{18÷3}{25}=\frac{6}{25}$ (m)

5-2 (정삼각형의 한 변의 길이)
$=$(전체 철사의 길이)÷3
$=\frac{15}{17}÷3=\frac{15÷3}{17}=\frac{5}{17}$ (m)

5-3 (정사각형의 한 변의 길이)
$=$(전체 철사의 길이)÷4
$=\frac{7}{8}÷4=\frac{28}{32}÷4=\frac{28÷4}{32}=\frac{7}{32}$ (m)

21쪽	개념·원리 **확인**

1-1 3, 12 　　　　**1-2** 5, 25

2-1 $\frac{1}{5}$, $\frac{6}{35}$ 　　**2-2** $\frac{1}{2}$, $\frac{3}{22}$

3-1 •—•　　　　**3-2** ✕
•　•

4-1 $\frac{3}{4}÷10=\frac{3}{4}×\frac{1}{10}=\frac{3}{40}$

4-2 $\frac{10}{13}÷3=\frac{10}{13}×\frac{1}{3}=\frac{10}{39}$

23쪽	개념·원리 **확인**

1-1 5, $\frac{3}{10}$ 　　　　**1-2** 2, $\frac{5}{6}$

2-1 3, $\frac{14}{33}$ 　　　　**2-2** 7, $\frac{33}{140}$

3-1 $\frac{13}{24}$ 　　　　　**3-2** $\frac{6}{19}$

4-1 $\frac{9}{4}÷8=\frac{9}{4}×\frac{1}{8}=\frac{9}{32}$

4-2 $\frac{54}{13}÷9=\overset{6}{\frac{54}{13}}×\frac{1}{\underset{1}{9}}=\frac{6}{13}$

24~25쪽	기초 집중 연습

1-1 (◯)(　) 　　　**1-2** (　)(◯)

2-1 $\frac{20}{9}÷7=\frac{20}{9}×\frac{1}{7}=\frac{20}{63}$

2-2 $\frac{15}{8}÷4=\frac{15}{8}×\frac{1}{4}=\frac{15}{32}$

3-1 $\frac{5}{72}$ 　　　　**3-2** $\frac{2}{45}$

4-1 (　)(◯) 　　　**4-2** (◯)(　)

기초 $1\frac{1}{14}$배$\left(=\frac{15}{14}$배$\right)$

5-1 $\frac{15}{7}÷2=1\frac{1}{14}\left(=\frac{15}{14}\right)$, $1\frac{1}{14}$배$\left(=\frac{15}{14}$배$\right)$

5-2 $\frac{9}{10}÷4=\frac{9}{40}$, $\frac{9}{40}$배

5-3 $\frac{13}{8}÷2=\frac{13}{16}$, $\frac{13}{16}$배

3-1 (분수)÷(자연수)$=\frac{5}{12}÷6$
$=\frac{5}{12}×\frac{1}{6}=\frac{5}{72}$

3-2 (수현이가 말한 수)÷(민호가 말한 수)
$=\frac{2}{3}÷15=\frac{2}{3}×\frac{1}{15}=\frac{2}{45}$

4-1 $\frac{13}{11}÷2=\frac{13}{11}×\frac{1}{2}=\frac{13}{22}$

➡ $\frac{13}{22}<\frac{15}{22}$

4-2 $\dfrac{35}{4} \div 8 = \dfrac{35}{4} \times \dfrac{1}{8} = \dfrac{35}{32}$ (kg)

➡ $\dfrac{35}{32}$ kg > $\dfrac{29}{32}$ kg

기초 ㉠÷㉡$= \dfrac{15}{7} \div 2 = \dfrac{15}{7} \times \dfrac{1}{2} = \dfrac{15}{14} = 1\dfrac{1}{14}$(배)

5-1 (유진이가 캔 감자의 양)÷(진호가 캔 감자의 양)

$= \dfrac{15}{7} \div 2 = \dfrac{15}{7} \times \dfrac{1}{2} = \dfrac{15}{14} = 1\dfrac{1}{14}$(배)

5-2 (서율이가 가지고 있는 리본의 길이)
÷(재호가 가지고 있는 리본의 길이)

$= \dfrac{9}{10} \div 4 = \dfrac{9}{10} \times \dfrac{1}{4} = \dfrac{9}{40}$(배)

5-3 (윤주네 집~학교)÷(윤주네 집~공원)

$= \dfrac{13}{8} \div 2 = \dfrac{13}{8} \times \dfrac{1}{2} = \dfrac{13}{16}$(배)

27쪽	개념 · 원리 **확인**

1-1 18, 18, 2　　　　**1**-2 15, 15, 3

2-1 (1) 14, 7, 2　　　**2**-2 (1) 22, 11, 2
　　 (2) 16, 8, 2　　　　　　(2) 40, 10, 4

3-1 (1) $\dfrac{7}{8}$　(2) $1\dfrac{3}{5}\left(=\dfrac{8}{5}\right)$

3-2 (1) $\dfrac{7}{11}$　(2) $\dfrac{7}{9}$

4-1 $3\dfrac{5}{9} \div 4 = \dfrac{32}{9} \div 4 = \dfrac{32 \div 4}{9} = \dfrac{8}{9}$

4-2 $2\dfrac{6}{11} \div 7 = \dfrac{28}{11} \div 7 = \dfrac{28 \div 7}{11} = \dfrac{4}{11}$

3-1 (1) $2\dfrac{5}{8} \div 3 = \dfrac{21}{8} \div 3 = \dfrac{21 \div 3}{8} = \dfrac{7}{8}$

　 (2) $3\dfrac{1}{5} \div 2 = \dfrac{16}{5} \div 2 = \dfrac{16 \div 2}{5} = \dfrac{8}{5} = 1\dfrac{3}{5}$

3-2 (1) $5\dfrac{1}{11} \div 8 = \dfrac{56}{11} \div 8 = \dfrac{56 \div 8}{11} = \dfrac{7}{11}$

　 (2) $3\dfrac{1}{9} \div 4 = \dfrac{28}{9} \div 4 = \dfrac{28 \div 4}{9} = \dfrac{7}{9}$

4-1 대분수를 가분수로 바꾸고 분자를 4로 나누어 계산
합니다.

29쪽	개념 · 원리 **확인**

1-1 2, 6　　　　　**1**-2 3, 12

2-1 11, 33, 11　　**2**-2 23, 115, 23

3-1 $\dfrac{22}{35}$　　　　　**3**-2 $\dfrac{7}{18}$

4-1 예 $7\dfrac{1}{3} \div 9 = \dfrac{22}{3} \div 9 = \dfrac{22}{3} \times \dfrac{1}{9} = \dfrac{22}{27}$

4-2 예 $4\dfrac{1}{6} \div 4 = \dfrac{25}{6} \div 4 = \dfrac{25}{6} \times \dfrac{1}{4}$

　　　　　$= \dfrac{25}{24} = 1\dfrac{1}{24}$

5-1 $\dfrac{5}{12}$　　　　　**5**-2 $\dfrac{11}{18}$

3-1 $4\dfrac{2}{5} \div 7 = \dfrac{22}{5} \div 7 = \dfrac{22}{5} \times \dfrac{1}{7} = \dfrac{22}{35}$

3-2 $2\dfrac{1}{3} \div 6 = \dfrac{7}{3} \div 6 = \dfrac{7}{3} \times \dfrac{1}{6} = \dfrac{7}{18}$

5-1 $1\dfrac{2}{3} \div 4 = \dfrac{5}{3} \div 4 = \dfrac{5}{3} \times \dfrac{1}{4} = \dfrac{5}{12}$

5-2 $5\dfrac{1}{2} \div 9 = \dfrac{11}{2} \div 9 = \dfrac{11}{2} \times \dfrac{1}{9} = \dfrac{11}{18}$

30~31쪽	기초 집중 연습

1-1 ( )( )(○)　　**1**-2 ( )(○)( )

2-1 $\dfrac{2}{3}$　　　　　**2**-2 $1\dfrac{5}{6}\left(=\dfrac{11}{6}\right)$

3-1 ㉡, $\dfrac{23}{54}$　　　**3**-2 ㉡, $\dfrac{14}{15}$

4-1 우석　　　　　**4**-2 윤수

연산 $\dfrac{8}{9}$　　　　　**5**-1 $4\dfrac{4}{9} \div 5 = \dfrac{8}{9}$, $\dfrac{8}{9}$ m

5-2 $2\dfrac{7}{16} \div 2 = 1\dfrac{7}{32}\left(=\dfrac{39}{32}\right)$,

　　 $1\dfrac{7}{32}$ cm$\left(=\dfrac{39}{32}\text{ cm}\right)$

5-3 $1\dfrac{2}{5} \div 3 = \dfrac{7}{15}$, $\dfrac{7}{15}$ m

1-1 $2\dfrac{2}{5}\div4=\dfrac{12}{5}\div4=\dfrac{12}{5}\times\dfrac{1}{4}$

1-2 $3\dfrac{3}{7}\div8=\dfrac{24}{7}\div8=\dfrac{24\div8}{7}$

2-1 $4\dfrac{2}{3}\div7=\dfrac{14}{3}\div7=\dfrac{14\div7}{3}=\dfrac{2}{3}$

2-2 $5\dfrac{1}{2}\div3=\dfrac{11}{2}\div3=\dfrac{33}{6}\div3$

$\qquad\qquad =\dfrac{33\div3}{6}=\dfrac{11}{6}=1\dfrac{5}{6}$

3-1 $\bigcirc\ 2\dfrac{2}{9}\div4=\dfrac{20}{9}\div4=\dfrac{20\div4}{9}=\dfrac{5}{9}$

$\quad\ \ \bigcirc\ 3\dfrac{5}{6}\div9=\dfrac{23}{6}\div9=\dfrac{23}{6}\times\dfrac{1}{9}=\dfrac{23}{54}$

3-2 $\bigcirc\ 1\dfrac{1}{4}\div8=\dfrac{5}{4}\div8=\dfrac{5}{4}\times\dfrac{1}{8}=\dfrac{5}{32}$

$\quad\ \ \bigcirc\ 2\dfrac{4}{5}\div3=\dfrac{14}{5}\div3=\dfrac{14}{5}\times\dfrac{1}{3}=\dfrac{14}{15}$

4-1 우석: $4\dfrac{1}{4}\div4=\dfrac{17}{4}\div4=\dfrac{17}{4}\times\dfrac{1}{4}$

$\qquad\qquad\quad =\dfrac{17}{16}=1\dfrac{1}{16}>1$

$\quad\ \ $ 민하: $3\dfrac{2}{5}\div5=\dfrac{17}{5}\div5=\dfrac{17}{5}\times\dfrac{1}{5}$

$\qquad\qquad\quad =\dfrac{17}{25}<1$

4-2 윤수: $5\dfrac{1}{6}\div3=\dfrac{31}{6}\div3=\dfrac{31}{6}\times\dfrac{1}{3}$

$\qquad\qquad\quad =\dfrac{31}{18}=1\dfrac{13}{18}>1$

$\quad\ \ $ 아라: $7\dfrac{1}{4}\div8=\dfrac{29}{4}\div8=\dfrac{29}{4}\times\dfrac{1}{8}$

$\qquad\qquad\quad =\dfrac{29}{32}<1$

연산 $4\dfrac{4}{9}\div5=\dfrac{40}{9}\div5=\dfrac{40\div5}{9}=\dfrac{8}{9}$

5-1 (직사각형의 넓이)÷(가로)

$\qquad =4\dfrac{4}{9}\div5=\dfrac{40}{9}\div5=\dfrac{40\div5}{9}=\dfrac{8}{9}$ (m)

5-2 (직사각형의 넓이)÷(가로)

$\qquad =2\dfrac{7}{16}\div2=\dfrac{39}{16}\div2=\dfrac{39}{16}\times\dfrac{1}{2}$

$\qquad =\dfrac{39}{32}=1\dfrac{7}{32}$ (cm)

5-3 (평행사변형의 넓이)÷(밑변의 길이)

$\qquad =1\dfrac{2}{5}\div3=\dfrac{7}{5}\div3=\dfrac{7}{5}\times\dfrac{1}{3}=\dfrac{7}{15}$ (m)

33쪽   개념 · 원리 확인

1-1 (×)(◯)(◯)   **1-2** 가, 다

2-1   **2-2**

3-1   **3-2**

4-1 4개   **4-2** 5개

1-1 왼쪽 도형은 서로 평행한 두 면이 없기 때문에 각기둥이 아닙니다.

1-2 나: 서로 평행한 두 면이 합동이지만 다각형으로 이루어지지 않았기 때문에 각기둥이 아닙니다.

2-1 보이는 모서리는 실선으로, 보이지 않는 모서리는 점선으로 나타냅니다.

4-1 각기둥에서 두 밑면과 만나는 면을 옆면이라고 합니다.

35쪽   개념 · 원리 확인

1-1 (1) 삼각형   **1-2** (1) 사각형

$\quad$ (2) 삼각기둥 $\quad$ (2) 사각기둥

2-1 (왼쪽에서부터) 꼭짓점, 높이

2-2 (왼쪽에서부터) 모서리, 높이

3-1 8, 6, 12   **3-2** 10, 7, 15

1-1 (1) 한 밑면의 변이 3개이므로 삼각형입니다.
(2) 밑면의 모양이 삼각형이므로 삼각기둥입니다.

1-2 (1) 한 밑면의 변이 4개이므로 사각형입니다.
(2) 밑면의 모양이 사각형이므로 사각기둥입니다.

2-1 꼭짓점: 모서리와 모서리가 만나는 점
높이: 두 밑면 사이의 거리

2-2 모서리: 면과 면이 만나는 선분
높이: 두 밑면 사이의 거리

3-1 (한 밑면의 변의 수)=4
├(사각기둥의 꼭짓점의 수)=4×2=8(개)
├(사각기둥의 면의 수)=4+2=6(개)
└(사각기둥의 모서리의 수)=4×3=12(개)

> **참고**
> • (각기둥의 꼭짓점의 수)=(한 밑면의 변의 수)×2
> • (각기둥의 면의 수)=(한 밑면의 변의 수)+2
> • (각기둥의 모서리의 수)=(한 밑면의 변의 수)×3

3-2 (한 밑면의 변의 수)=5
├(오각기둥의 꼭짓점의 수)=5×2=10(개)
├(오각기둥의 면의 수)=5+2=7(개)
└(오각기둥의 모서리의 수)=5×3=15(개)

36~37쪽	기초 집중 연습

1-1 6개 **1-2** 7개
2-1 삼각기둥 **2-2** 팔각기둥
3-1 (1) 9개
(2) 모서리 ㄴㅁ, 모서리 ㄷㅂ, 모서리 ㄱㄹ
3-2 (1) 15개
(2) 모서리 ㄱㅂ, 모서리 ㄴㅅ, 모서리 ㄷㅇ,
모서리 ㄹㅈ, 모서리 ㅁㅊ
기초 옆면 **4-1** (1) × (2) ○
4-2 준희 **4-3** ㄱ, ㄴ, ㄹ

1-1 밑면에 수직인 면은 옆면입니다. ➡ 6개

1-2 밑면에 수직인 면은 옆면입니다. ➡ 7개

2-1 밑면의 모양이 삼각형이면 삼각기둥이라고 합니다.

2-2 밑면의 모양이 팔각형이면 팔각기둥이라고 합니다.

3-1 (1) 모서리 ㄱㄴ, 모서리 ㄴㄷ, 모서리 ㄷㄱ,
모서리 ㄱㄹ, 모서리 ㄴㅁ, 모서리 ㄷㅂ,
모서리 ㄹㅁ, 모서리 ㅁㅂ, 모서리 ㅂㄹ
(2) 옆면끼리 만나서 생긴 모서리를 모두 찾습니다.

3-2 (1) 모서리 ㄱㄴ, 모서리 ㄴㄷ, 모서리 ㄷㄹ,
모서리 ㄹㅁ, 모서리 ㅁㄱ, 모서리 ㄱㅂ,
모서리 ㄴㅅ, 모서리 ㄷㅇ, 모서리 ㄹㅈ,
모서리 ㅁㅊ, 모서리 ㅂㅅ, 모서리 ㅅㅇ,
모서리 ㅇㅈ, 모서리 ㅈㅊ, 모서리 ㅊㅂ

4-1 (1) 각기둥의 밑면과 옆면은 서로 만납니다.

4-2 각기둥의 두 밑면은 서로 평행합니다.

4-3 ㄷ 두 밑면이 합동이고, 밑면과 옆면은 수직으로 만납니다.

38~39쪽	누구나 100점 맞는 테스트

1 $\frac{1}{5}$ **2** (○)( )
3 $\frac{2}{15}$ **4** $1\frac{3}{7}\left(=\frac{10}{7}\right)$
5 (1) $\frac{4}{9}\div5=\frac{20}{45}\div5=\frac{20\div5}{45}=\frac{4}{45}$
(2) $\frac{2}{3}\div7=\frac{14}{21}\div7=\frac{14\div7}{21}=\frac{2}{21}$
6 칠각기둥 **7** >
8 $1\frac{4}{5}$ L **9** $\frac{8}{9}\div4=\frac{2}{9},\ \frac{2}{9}$ m
10 6개

2 $\frac{11}{6}\div3=\frac{11}{6}\times\frac{1}{3}$

3 $\frac{14}{15}\div7=\frac{14\div7}{15}=\frac{2}{15}$

4 $4\frac{2}{7}\div3=\frac{30}{7}\div3=\frac{30\div3}{7}=\frac{10}{7}=1\frac{3}{7}$

6 밑면의 모양이 칠각형이므로 칠각기둥입니다.

정답 및 풀이 • **7**

7 $3\frac{1}{5} \div 4 = \frac{16}{5} \div 4 = \frac{16}{5} \times \frac{1}{\overset{}{\underset{1}{4}}} = \frac{4}{5}$

→ $\frac{4}{5} > \frac{3}{5}$

8 (그릇 1개에 담는 물의 양)

= (전체 물의 양)÷(그릇 수)

= $9 \div 5 = \frac{9}{5} = 1\frac{4}{5}$ (L)

9 $\frac{8}{9} \div 4 = \frac{\overset{2}{8}}{9} \times \frac{1}{\overset{}{\underset{1}{4}}} = \frac{2}{9}$ (m)

10 각기둥의 옆면의 수는 한 밑면의 변의 수와 같습니다.
따라서 육각형은 변이 6개이므로 이 각기둥의 옆면은 모두 6개입니다.

| 40~45쪽 **특강** | 창의 · 융합 · 코딩 |

창의1

이름	가져온 재료	가져온 재료 무게	접시 한 군데에 놓아야 할 재료의 무게
하정	사과	2 kg	$\frac{1}{2}$ kg($=\frac{2}{4}$ kg)
주민	참외	1 kg	$\frac{1}{4}$ kg
도진	귤	$1\frac{1}{2}$ kg	$\frac{3}{8}$ kg
현성	수박	$2\frac{1}{2}$ kg	$\frac{5}{8}$ kg

창의2

융합3 오각기둥

창의4 (1) (2)

창의5 식혜 $2\frac{1}{4}$ L, 7명 / $\frac{9}{28}$, $\frac{9}{28}$ L

창의6 $2 \div 3 = \frac{2}{3}$,

(예)

코딩7 $\frac{5}{7}$ L

창의8 색연필, 색종이, 연필, 지우개

융합9 ( )(○)

융합10 $\frac{1}{2}$, $\frac{4}{15}$

코딩11 각기둥

창의1 현성이가 한 말에 의하면 하정이는 사과를 가져왔고, 도진이가 한 말에 의하면 도진이는 귤 $1\frac{1}{2}$ kg을 가져왔고, 참외의 무게는 1 kg입니다.

사과는 현성이가 가져온 것보다 $\frac{1}{2}$ kg 가벼우므로 남은 무게 중 사과는 2 kg, 현성이가 가져온 것은 $2\frac{1}{2}$ kg입니다.

참외는 1 kg이므로 주민이가 가져왔고 현성이가 가져온 것은 수박입니다.

창의2 윤정이 말에 의하면 삼각기둥 아래에 차례로 오각기둥, 육각기둥이 있음을 알 수 있고, 강호 말에 의하면 삼각기둥 위에 사각기둥이 있음을 알 수 있습니다.
이는 석호와 지민이가 말한 것과도 맞습니다.

융합3 밑면의 모양이 오각형인 각기둥은 오각기둥입니다.

창의4 (1) 밑면의 모양이 사각형이므로 사각기둥입니다.
(2) 밑면의 모양이 오각형이므로 오각기둥입니다.

창의5 주어진 식이 $2\frac{1}{4} \div 7$이므로 '식혜 $2\frac{1}{4}$ L'를 남학생 '7명'이 남김없이 똑같이 나누어 마셨습니다.
따라서 한 명이 마신 음료는
$2\frac{1}{4} \div 7 = \frac{9}{4} \div 7 = \frac{9}{4} \times \frac{1}{7} = \frac{9}{28}$ (L)입니다.

코딩 7 시작하기 버튼을 클릭하면 병에 물을 가득 담아 대야에 모두 붓는 과정을 6번 반복해 빈 대야에 물이 가득 담깁니다.

따라서 대야의 들이는 병의 들이의 6배입니다.

➡ (병의 들이)＝(대야의 들이)÷6

$$=4\frac{2}{7}÷6=\frac{30}{7}÷6$$

$$=\frac{30÷6}{7}=\frac{5}{7}\ (\text{L})$$

창의 8 밑면이 삼각형인 각기둥은 삼각기둥, 밑면이 사각형인 각기둥은 사각기둥, 밑면이 오각형인 각기둥은 오각기둥, 밑면이 육각형인 각기둥은 육각기둥입니다.

융합 9 • 왼쪽 자동차의 연비:

$$\frac{250}{3}÷5=\frac{250÷5}{3}=\frac{50}{3}=16\frac{2}{3}$$

• 오른쪽 자동차의 연비:

$$73÷4=\frac{73}{4}=18\frac{1}{4}$$

➡ $16\frac{2}{3}<18\frac{1}{4}$이므로 오른쪽 자동차의 연비가 더 높습니다.

융합 10 • 3인분에 필요한 고추장의 양은 $1\frac{1}{2}$큰술이므로 1인분은 $1\frac{1}{2}÷3=\frac{3}{2}÷3=\frac{3÷3}{2}=\frac{1}{2}$(큰술) 필요합니다.

• 3인분에 필요한 설탕의 양은 $\frac{4}{5}$큰술이므로 1인분은 $\frac{4}{5}÷3=\frac{4}{5}×\frac{1}{3}=\frac{4}{15}$(큰술) 필요합니다.

코딩 11 두 면이 서로 평행하고 합동인 다각형으로 이루어진 입체도형은 각기둥입니다.

개념 ○✕ 퀴즈 정답

퀴즈 1 ○

퀴즈 2

2주 · 각기둥과 각뿔 ~ 소수의 나눗셈

개념 ○✕ 퀴즈

옳으면 ○에, 틀리면 ✕에 ○표 하세요.

퀴즈 1

육각기둥은 밑면의 모양이 육각형입니다.

○ ✕

퀴즈 2

$2.73÷3=9.1$

○ ✕

정답은 17쪽에서 확인하세요.

48~49쪽 이번 주에는 무엇을 공부할까? ②

1-1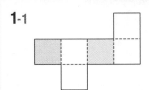

1-2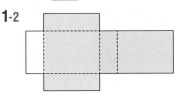

2-1 (왼쪽에서부터) 2, 3

2-2 (왼쪽에서부터) 8, 12

3-1 (1) 3, $\frac{5}{24}$ (2) 10, 10, 2

3-2 (1) 4, $\frac{9}{28}$ (2) 12, 12, 6, 1, 1

4-1 $\frac{4}{135}$ **4-2** $\frac{2}{9}$

1-1 색칠한 면과 마주 보는 면을 찾아 색칠해 봅니다.

1-2 색칠한 면과 마주 보는 면을 제외한 나머지 면이 수직인 면입니다.

3-1 (1) ÷3을 ×$\frac{1}{3}$로 바꾸어 계산합니다.

> **참고**
> (분수)÷(자연수)=(분수)×$\frac{1}{(자연수)}$

(2) 대분수를 가분수로 나타낸 다음 나누어지는 가분수의 분자가 나누는 수인 자연수의 배수이므로 분수의 분자를 자연수로 나눕니다.

4-1 $\frac{8}{15} \div 18 = \frac{8}{15} \times \frac{1}{18} = \frac{4}{135}$

4-2 $1\frac{5}{9} \div 7 = \frac{14}{9} \div 7 = \frac{14 \div 7}{9} = \frac{2}{9}$

51쪽	개념 · 원리 확인

1-1 육각기둥   **1-2** 오각기둥
2-1 점 ㅈ, 점 ㅅ   **2-2** 선분 ㅅㅂ
3-1 (왼쪽에서부터) 5, 4, 4
3-2 (왼쪽에서부터) 6, 9, 3

1-1 밑면의 모양이 육각형이므로 육각기둥입니다.

> **참고**
> 밑면의 모양이 ■각형인 각기둥은 ■각기둥입니다.

1-2 밑면의 모양이 오각형이므로 오각기둥입니다.

2-2 전개도를 접었을 때 점 ㄷ은 점 ㅅ, 점 ㄹ은 점 ㅂ과 각각 만나므로 선분 ㄷㄹ과 만나는 선분은 선분 ㅅㅂ입니다.

3-1 전개도와 각기둥에서 길이가 같은 부분을 찾습니다.

3-2 전개도와 각기둥에서 길이가 같은 부분을 찾습니다.

53쪽	개념 · 원리 확인

1-1
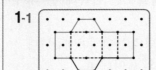

1-2
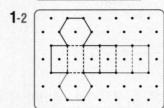

2-1 (1) 1 cm, 1 cm
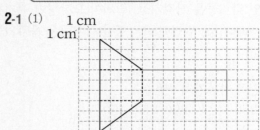

(2) 1 cm, 1 cm
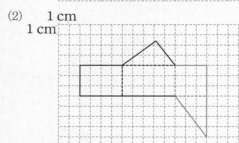

2-2 (1) 1 cm, 1 cm
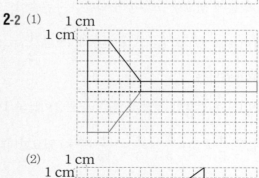

(2) 1 cm, 1 cm
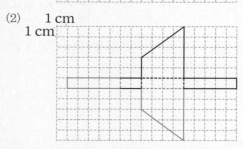

1-1 사다리꼴 모양의 두 밑면이 서로 합동이 되도록 나머지 한 밑면을 완성하고 빠진 옆면을 그립니다.

1-2 육각형 모양의 두 밑면이 서로 합동이 되도록 나머지 한 밑면과 빠진 옆면을 그립니다.

2-1 전개도를 점선을 따라 접었을 때 맞닿는 선분을 생각하여 접히는 부분은 점선으로, 나머지 부분은 실선으로 그립니다.

2-2 전개도를 점선을 따라 접었을 때 맞닿는 선분은 길이가 같게 그리고 접히는 부분을 점선으로, 나머지 부분은 실선으로 그립니다.

54~55쪽 **기초 집중 연습**

1-1 삼각기둥　　　　**1-2** 사각기둥
2-1
2-2 예

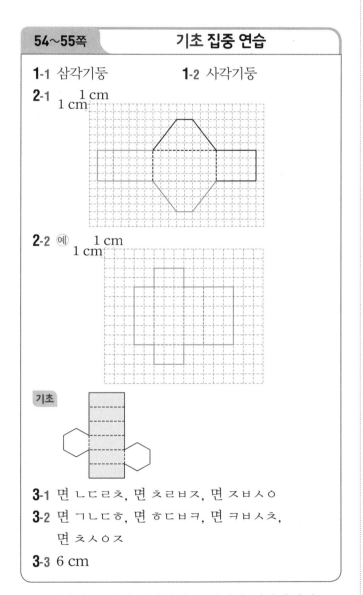

기초

3-1 면 ㄴㄷㄹㅊ, 면 ㅊㄹㅂㅈ, 면 ㅈㅂㅅㅇ
3-2 면 ㄱㄴㄷㅎ, 면 ㅎㄷㅂㅋ, 면 ㅋㅂㅅㅊ, 면 ㅊㅅㅇㅈ
3-3 6 cm

1-1 밑면의 모양이 삼각형이고 옆면이 직사각형이므로 삼각기둥의 전개도입니다.

1-2 밑면의 모양이 사각형이고 옆면이 직사각형이므로 사각기둥의 전개도입니다.

2-1 접히는 부분은 점선으로 그리고 나머지 부분은 실선으로 그립니다.

기초 밑면과 만나는 면은 옆면입니다.

3-1 면 ㄹㅁㅂ은 밑면이고 밑면과 만나는 면은 옆면이므로 면 ㄹㅁㅂ과 만나는 면은 면 ㄴㄷㄹㅊ, 면 ㅊㄹㅂㅈ, 면 ㅈㅂㅅㅇ입니다.

3-2 전개도를 접었을 때 면 ㅍㅎㅋㅌ과 만나는 면은 각기둥의 옆면입니다.

3-3 전개도를 접었을 때 점 ㅂ은 점 ㄹ과 만나고 점 ㅅ은 점 ㄷ과 만나므로 선분 ㅂㅅ과 만나는 선분은 선분 ㄹㄷ입니다.
선분 ㅂㅅ의 길이는 선분 ㄷㄹ의 길이와 같으므로 6 cm입니다.

57쪽 **개념·원리 확인**

1-1 나, 다　　　　**1-2** 가, 라, 바
2-1

옆면
밑면

2-2

3-1 (1) 면 ㄴㄷㄹㅁ
　　(2) 면 ㄱㄴㅁ, 면 ㄱㄴㄷ, 면 ㄱㄷㄹ, 면 ㄱㅁㄹ
3-2 (1) 면 ㄴㄷㄹㅁㅂ
　　(2) 면 ㄱㄴㅂ, 면 ㄱㄴㄷ, 면 ㄱㄷㄹ, 면 ㄱㄹㅁ, 면 ㄱㅁㅂ

1-1 각뿔은 밑에 놓인 면이 다각형이고 옆으로 둘러싼 면이 모두 삼각형인 입체도형입니다.

2-1 각뿔의 밑면은 밑에 놓인 면이고 옆면은 옆으로 둘러싼 면입니다.

3-1 (1) 각뿔의 밑면은 1개입니다.
　　(2) 옆으로 둘러싼 면을 찾습니다.

정답 및 풀이

59쪽 　　　개념·원리 확인

1-1 사각형, 사각뿔

1-2 팔각뿔

2-1

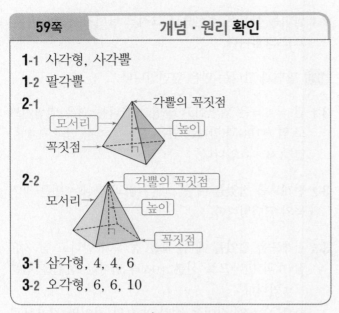

2-2

3-1 삼각형, 4, 4, 6

3-2 오각형, 6, 6, 10

1-1 밑면의 모양이 사각형이므로 사각뿔입니다.

1-2 밑면의 모양이 팔각형이므로 팔각뿔입니다.

2-1 • 모서리: 면과 면이 만나는 선분
　　 • 높이: 각뿔의 꼭짓점에서 밑면에 수직인 선분의
　　　　　 길이

2-2 • 꼭짓점: 모서리와 모서리가 만나는 점
　　 • 각뿔의 꼭짓점: 꼭짓점 중에서도 옆면이 모두 만
　　　　　　　　　나는 점
　　 • 높이: 각뿔의 꼭짓점에서 밑면에 수직인 선분의
　　　　　 길이

3-1 밑면의 모양이 삼각형이므로 삼각뿔입니다.
　　 (꼭짓점의 수)=3+1=4(개)
　　 (면의 수)=3+1=4(개)
　　 (모서리의 수)=3×2=6(개)

> **참고**
>
> 각뿔의 구성 요소의 수
> • (각뿔의 꼭짓점의 수)=(밑면의 변의 수)+1
> • (각뿔의 면의 수)=(밑면의 변의 수)+1
> • (각뿔의 모서리의 수)=(밑면의 변의 수)×2

3-2 밑면의 모양이 오각형이므로 오각뿔입니다.
　　 (꼭짓점의 수)=5+1=6(개)
　　 (면의 수)=5+1=6(개)
　　 (모서리의 수)=5×2=10(개)

60~61쪽 　　　기초 집중 연습

1-1 다, 마, 바　　　　**1-2** 나

2-1　　　　　　　**2-2**

3-1 14개　　　　　**3-2** 7개

기초 삼각뿔　　　　**4-1** 오각뿔

4-2 팔각뿔　　　　**4-3** 육각뿔

2-1 꼭짓점 중에서도 옆면이 모두 만나는 점을 각뿔의
　　 꼭짓점이라고 합니다.

2-2 꼭짓점 중에서도 옆면이 모두 만나는 점을 찾습니다.

3-1 면과 면이 만나는 선분은 모서리입니다.
　　 (모서리의 수)=(밑면의 변의 수)×2
　　　　　　　　=7×2=14(개)

3-2 모서리와 모서리가 만나는 점은 꼭짓점입니다.
　　 (꼭짓점의 수)=(밑면의 변의 수)+1
　　　　　　　　=6+1=7(개)

기초 밑면의 모양이 삼각형이므로 삼각뿔입니다.

4-1 밑면의 모양이 오각형이므로 오각뿔입니다.

4-2 밑면의 모양이 팔각형이므로 팔각뿔입니다.

4-3 옆면이 6개이므로 밑면의 모양은 변의 수가 6개인
　　 육각형입니다.
　　 ➡ 밑면의 모양이 육각형이므로 육각뿔입니다.

63쪽 　　　개념·원리 확인

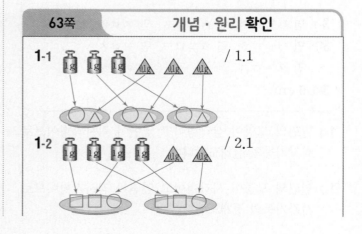

1-1 　　　　　　　　　　　　/ 1.1

1-2 　　　　　　　　　　　　/ 2.1

2-1 12.2, 1.22　　　　**2-2** 31.2, 9.36, 3.12

3-1 32.1, 3.21　　　　**3-2** 21.2, 2.12

4-1 1.3　　　　　　　**4-2** 1.32

2-1~2-2 나누는 수가 같을 때 나누어지는 수가 $\frac{1}{10}$배,

$\frac{1}{100}$배가 되면 몫도 $\frac{1}{10}$배, $\frac{1}{100}$배가 됩니다.

3-1~3-2 나누어지는 수의 소수점이 왼쪽으로 한 칸, 두 칸 이동하면 몫의 소수점도 왼쪽으로 한 칸, 두 칸 이동합니다.

4-1 $2.6÷2=1.3$

4-2 $3.96÷3=1.32$

65쪽	**개념·원리 확인**

1-1 152, 152, 38, 3.8　　**1-2** 372, 372, 186, 1.86

2-1 2, 6, 12, 36, 36　　**2-2** 3, 2, 22, 21, 14, 14

3-1 (1) 7.3　(2) 1.43　　**3-2** (1) 3.9　(2) 3.17

3-1 (1)
$$\begin{array}{r} 7.3 \\ 4\overline{)29.2} \\ 28 \\ \hline 12 \\ 12 \\ \hline 0 \end{array}$$
(2)
$$\begin{array}{r} 1.43 \\ 3\overline{)4.29} \\ 3 \\ \hline 12 \\ 12 \\ \hline 9 \\ 9 \\ \hline 0 \end{array}$$

3-2 (1) $19.5÷5=\dfrac{195}{10}÷5=\dfrac{195÷5}{10}$
$=\dfrac{39}{10}=3.9$

(2) $9.51÷3=\dfrac{951}{100}÷3=\dfrac{951÷3}{100}$
$=\dfrac{317}{100}=3.17$

4-1 $19.2÷8=2.4$

4-2 $22.35÷3=7.45$

66~67쪽	**기초 집중 연습**

1-1 (1) 11.3　(2) 1.59　　**1-2** (1) 3.8　(2) 2.13

2-1 　　　　　　　　　　**2-2**

3-1 4.13　　　　　　　　**3-2** 1.27

4-1 (　　)(○)　　　　　**4-2** <

연산 1.12　　　　　　　**5-1** 4.48, 1.12, 1.12 m

5-2 $8.68÷7=1.24$, 1.24 L

5-3 10.2 m²

2-1 $6.69÷3=2.23$, $12.15÷5=2.43$

2-2 $5.36÷4=1.34$, $10.78÷7=1.54$

3-1 $8.26>2$ ➡ $8.26÷2=4.13$

3-2 $3.81>3$ ➡ $3.81÷3=1.27$

4-1 $9.96÷3=3.32$ ➡ $3.32<3.33$

4-2 $27.16÷4=6.79$ ➡ $6.75<6.79$

5-1 (한 도막의 길이)
　＝(색 테이프의 전체 길이)÷(도막 수)
　＝$4.48÷4=1.12$ (m)

5-2 (물통 한 개에 담은 생수의 양)
　＝(생수 전체의 양)÷(물통의 수)
　＝$8.68÷7=1.24$ (L)

5-3 색칠한 부분은 전체를 8등분한 것 중의 하나입니다.
　➡ $81.6÷8=10.2$ (m²)

69쪽	**개념·원리 확인**

1-1 78, 78, 26, 0.26

1-2 $1.48÷4=\dfrac{148}{100}÷4=\dfrac{148÷4}{100}=\dfrac{37}{100}=0.37$

2-1 52, 0.52　　　　　　**2-2** 51, 0.51

3-1 (1) 76, 42, 36, 36　(2) 0.85, 72, 45, 45

3-2 (1) 0.66　(2) 0.57

4-1 0.92　　　　　　　　**4-2** 0.57

1-2 소수의 나눗셈을 분수의 나눗셈으로 바꾸어 계산한 것입니다.

2-1

$$156 \div 3 = 52 \Rightarrow 1.56 \div 3 = 0.52$$

($\frac{1}{100}$배)

2-2

$$204 \div 4 = 51 \Rightarrow 2.04 \div 4 = 0.51$$

($\frac{1}{100}$배)

3-2 (1)
```
    0.6 6
2)1.3 2
    1 2
    1 2
    1 2
        0
```
(2)
```
    0.5 7
5)2.8 5
    2 5
    3 5
    3 5
        0
```

4-1 $3.68 \div 4 = 0.92$

4-2 $1.71 \div 3 = 0.57$

| 71쪽 | 개념·원리 확인 |

1-1 4.35

1-2 735, 7.35

2-1 1260, 315, 3.15

2-2 730, 730, 146, 1.46

3-1 (1) 0.25 (2) 0.215

3-2 (1) 4.35 (2) 1.96

4-1 2.35

4-2 2.44

3-1 (1)
```
    0.2 5
6)1.5
    1 2
    3 0
    3 0
        0
```
(2)
```
    0.2 1 5
8)1.7 2
    1 6
    1 2
        8
    4 0
    4 0
        0
```

3-2 (1)
```
    4.3 5
2)8.7
    8
    7
    6
    1 0
    1 0
        0
```
(2)
```
    1.9 6
5)9.8
    5
    4 8
    4 5
    3 0
    3 0
        0
```

4-1 $9.4 \div 4 = 2.35$

4-2 $12.2 \div 5 = 2.44$

| 72~73쪽 | 기초 집중 연습 |

1-1 (1) 0.68 (2) 1.15   **1-2** (1) 0.82 (2) 1.74

2-1 (　)(○)   **2-2** ㉡

3-1 승연   **3-2** 수현

4-1 (○)   **4-2** ㉡
　　　(　)

연산 0.56

5-1 $3.92 \div 7 = 0.56$, 0.56 kg

5-2 $3.72 \div 4 = 0.93$, 0.93 L

5-3 4.15 m

1-1 (1)
```
    0.6 8
2)1.3 6
    1 2
    1 6
    1 6
        0
```
(2)
```
    1.1 5
8)9.2
    8
    1 2
        8
    4 0
    4 0
        0
```

2-1 (나누어지는 수)<(나누는 수)이면 몫이 1보다 작습니다.

15.3>6이므로 15.3÷6>1

5.04<9이므로 5.04÷9<1

다른 풀이

15.3÷6=2.55, 5.04÷9=0.56

➡ 몫이 1보다 작은 것은 5.04÷9입니다.

2-2 (나누어지는 수)＞(나누는 수)이면 몫이 1보다 큽니다.

ㄱ 4.35＜5이므로 4.35÷5＜1

ㄴ 3.36＞3이므로 3.36÷3＞1

다른 풀이

ㄱ 4.35÷5=0.87, ㄴ 3.36÷3=1.12

➡ 몫이 1보다 큰 것은 ㄴ입니다.

3-1 태영: 3.71÷7=0.53

3-2 정우: 7.5÷6=1.25

4-1 8.1÷5=1.62, 5.46÷6=0.91

➡ 1.62＞0.91

4-2 ㄱ 4.9÷5=0.98 ㄴ 1.61÷7=0.23

➡ 0.98＞0.23

5-1 (스케치북 한 권의 무게)

=(스케치북 7권의 무게)÷(스케치북의 수)

=3.92÷7=0.56 (kg)

5-2 (병 한 개에 담는 간장의 양)

=(간장 전체의 양)÷(병의 수)

=3.72÷4=0.93 (L)

5-3 (간격의 수)=7-1=6(군데)

➡ 24.9÷6=4.15 (m)

75쪽	개념 · 원리 확인

1-1 648, 648, 108, 1.08

1-2 820, 820, 205, 2.05

2-1 $12.3÷6=\dfrac{1230}{100}÷6=\dfrac{1230÷6}{100}$

$=\dfrac{205}{100}=2.05$

2-2 $36.6÷12=\dfrac{3660}{100}÷12=\dfrac{3660÷12}{100}$

$=\dfrac{305}{100}=3.05$

3-1 8.04

3-2 (1) 1.08 (2) 102, 1.02

4-1 (1) $7.49÷7=\dfrac{749}{100}÷7=\dfrac{749÷7}{100}$

$=\dfrac{107}{100}=1.07$

(2) $10.2÷5=\dfrac{1020}{100}÷5=\dfrac{1020÷5}{100}$

$=\dfrac{204}{100}=2.04$

4-2 (1) $6.12÷3=\dfrac{612}{100}÷3=\dfrac{612÷3}{100}$

$=\dfrac{204}{100}=2.04$

(2) $24.4÷8=\dfrac{2440}{100}÷8=\dfrac{2440÷8}{100}$

$=\dfrac{305}{100}=3.05$

3-1

$$4020÷5=804 \Rightarrow 40.2÷5=8.04$$

$\dfrac{1}{100}$배 / $\dfrac{1}{100}$배

77쪽	개념 · 원리 확인

1-1 (1) 0, 5, 6, 15 (2) 1, 0, 4, 8, 32

1-2 4, 0, 5, 16, 20

2-1 (1) 1.06 (2) 2.03   **2-2** (1) 3.09 (2) 1.08

3-1 2.05   **3-2** 3.05

4-1 5.04   **4-2** 1.03, 1.02

2-1 (1)
```
     1.0 6
6 ) 6.3 6
    6
    ---
    3 6
    3 6
    ---
      0
```
(2)
```
      2.0 3
9 ) 1 8.2 7
    1 8
    ---
      2 7
      2 7
      ---
        0
```

2-2 (1)
```
     3.0 9
3 ) 9.2 7
    9
    ---
    2 7
    2 7
    ---
      0
```
(2)
```
     1.0 8
5 ) 5.4
    5
    ---
    4 0
    4 0
    ---
      0
```

3-1
$$\begin{array}{r} 2.0\,5 \\ 2\,)\overline{4.1} \\ \underline{4} \\ 1\,0 \\ \underline{1\,0} \\ 0 \end{array}$$

3-2
$$\begin{array}{r} 3.0\,5 \\ 4\,)\overline{1\,2.2} \\ \underline{1\,2} \\ 2\,0 \\ \underline{2\,0} \\ 0 \end{array}$$

4-1 $25.2 \div 5 = 5.04$

4-2 $8.24 \div 8 = 1.03$, $7.14 \div 7 = 1.02$

78~79쪽 | **기초 집중 연습**

1-1 (1) 3.04 (2) 4.05 **1-2** (1) 1.05 (2) 2.02

2-1   **2-2**

3-1 ㉡ **3-2** ( )(○)

4-1 > **4-2** ㉠

[연산] 5.04

5-1 $45.36 \div 9 = 5.04$, 5.04 g

5-2 $35.49 \div 7 = 5.07$, 5.07 g

5-3 2.02배

2-1 $10.25 \div 5 = 2.05$
$32.4 \div 8 = 4.05$

2-2 $16.24 \div 8 = 2.03$
$12.3 \div 6 = 2.05$

3-1 ㉠
$$\begin{array}{r} 8.7 \\ 4\,)\overline{3\,4.8} \\ \underline{3\,2} \\ 2\,8 \\ \underline{2\,8} \\ 0 \end{array}$$

㉡
$$\begin{array}{r} 7.0\,5 \\ 6\,)\overline{4\,2.3} \\ \underline{4\,2} \\ 3\,0 \\ \underline{3\,0} \\ 0 \end{array}$$

3-2 $16.5 \div 6 = 2.75$
$25.3 \div 5 = 5.06$

4-1 $4.18 \div 2 = 2.09$ ➡ $2.09 > 2.08$

4-2 ㉠ $6.42 \div 6 = 1.07$, ㉡ $8.4 \div 8 = 1.05$
➡ $1.07 > 1.05$

5-1 (지우개 한 개의 무게)
$=$(지우개 9개의 무게)$\div$(지우개의 수)
$=45.36 \div 9 = 5.04$ (g)

5-2 (연필 한 자루의 무게)
$=$(연필 7자루의 무게)$\div$(연필의 수)
$=35.49 \div 7$
$=5.07$ (g)

5-3 (집~학교)$=$(집~편의점)$+$(편의점~학교)
$=6+6.12=12.12$ (km)
(집~학교)$\div$(집~편의점)
$=12.12 \div 6 = 2.02$(배)

80~81쪽 | **누구나 100점 맞는 테스트**

1 21.2
2 (위에서부터) 옆면, 밑면
3 3.15 **4** 나, 라
5 면 ㅂㅅㅇㅈ **6** (왼쪽에서부터) 5, 3
7 오각뿔 **8** 영탁
9 2.8 m
10 $1.44 \div 6 = 0.24$, 0.24 L

1 212의 $\dfrac{1}{10}$배는 21.2입니다.

5 면 ㄴㅁㅊㅍ과 평행한 면은 면 ㄴㅁㅊㅍ과 마주 보는 면으로 면 ㅂㅅㅇㅈ입니다.

6 전개도와 각기둥에서 길이가 같은 부분을 찾습니다.

7 밑면의 모양이 오각형이므로 오각뿔입니다.

8 수현: $12.4 \div 8 = 1.55$
영탁: $7.8 \div 5 = 1.56$
➡ $1.55 < 1.56$이므로 몫이 더 큰 나눗셈식을 말한 사람은 영탁입니다.

9 (논의 세로)$=16.8 \div 6 = 2.8$ (m)

[참고]
(직사각형의 넓이)$=$(가로)$\times$(세로)
➡ (세로)$=$(직사각형의 넓이)$\div$(가로)

10 (전체 우유의 양)$\div$(컵 수)$=1.44 \div 6$
$=0.24$ (L)

 82~87쪽 **특강** 창의·융합·코딩

창의 **1**	(위에서부터) 하트, 로봇, 공룡, 14, 18, 16
창의 **2**	석진, 태형, 윤기
융합 **3** 육각기둥	융합 **4** 2.35
융합 **5** 사각기둥	코딩 **6** 오각뿔
코딩 **7** 3	융합 **8** 1.15 km
융합 **9** 13개	융합 **10** A 자동차

창의 1 모양별로 필요한 블록 수의 각각의 차를 구해 보면 $18-16=2$(개), $18-14=4$(개), $16-14=2$(개)입니다.

윤기는 로봇을 만드는 사람보다 2개 더 적게 필요하고 16개 이상 필요하므로 16개의 블록이 필요하고 만들려는 모양은 공룡과 하트 중 하나입니다. 석진이는 하트를 만드는 사람보다 4개 더 많이 필요하므로 18개와 14개 중 18개의 블록이 필요하고 윤기의 블록보다 2개 더 많으므로 만들려는 모양은 로봇입니다.

태형이가 필요한 블록은 14개이고 만들려는 모양은 하트이므로 윤기가 만들려는 모양은 공룡입니다.

창의 2 블록을 가장 많이 사용한 사람은 석진입니다. 태형이가 윤기보다 더 많이 사용했으므로 윤기가 가장 적게 사용한 것입니다. 따라서 블록을 많이 사용한 사람부터 차례로 쓰면 석진, 태형, 윤기입니다.

융합 3 밑면이 2개이고 옆면의 모양이 모두 직사각형이므로 각기둥입니다.

밑면의 모양이 육각형이므로 육각기둥입니다.

융합 4 천왕성의 반지름을 1이라고 본다면 토성의 반지름을 4로 나누어야 합니다.

➡ (토성의 반지름)$=9.4\div4=2.35$

융합 5 사각뿔 모양의 피라미드의 밑면의 모양은 사각형입니다. 밑면의 모양이 사각형인 각기둥의 이름은 사각기둥입니다.

코딩 6

	4		8
7		6	
5			9

로봇이 지나간 칸에 쓰여 있는 수는 6입니다.
면의 수가 6개인 각뿔은 오각뿔입니다.

참고

(각뿔의 면의 수)=(밑면의 변의 수)+1

코딩 7 아래쪽으로 1칸 이동: $21\div3=7$
➡ 오른쪽으로 1칸 이동: $7+0.5=7.5$
➡ 아래쪽으로 1칸 이동: $7.5\div3=2.5$
➡ 오른쪽으로 1칸 이동: $2.5+0.5=3$

융합 8 경찰서와 병원의 중간에 우체국이 있으므로
(경찰서~우체국)=(경찰서~병원)$\div2$
$\qquad\qquad=4.6\div2=2.3$ (km)

경찰서와 우체국의 중간에 편의점이 있으므로
(경찰서~편의점)=(경찰서~우체국)$\div2$
$\qquad\qquad=2.3\div2=1.15$ (km)

융합 9 밑면의 모양이 사각형인 각뿔은 사각뿔입니다.
(사각뿔의 꼭짓점의 수)$=4+1=5$(개)
(사각뿔의 모서리의 수)$=4\times2=8$(개)
➡ 사각뿔의 꼭짓점과 모서리의 수의 합은
$5+8=13$(개)입니다.

융합 10 두 자동차가 연료 1 L로 갈 수 있는 거리를 각각 구합니다.
A 자동차: $106\div4=26.5$ (km),
B 자동차: $79.2\div3=26.4$ (km)
➡ A 자동차가 같은 양의 연료로 더 먼 거리를 갈 수 있습니다.

✳ 개념 ⭕❌ 퀴즈 정답

퀴즈 1 ⭕ ❌

퀴즈 2 ⭕ ❌

퀴즈 2 $2.73\div3=0.91$

3주

소수의 나눗셈
~ 여러 가지 그래프

✳ 개념 ○✕ 퀴즈

옳으면 ○에, 틀리면 ✕에 ○표 하세요.

(자연수)÷(자연수)에서
$5÷4=1.25$입니다.

$3 : 7$에서
기준량은 7입니다.

정답은 25쪽에서 확인하세요.

90~91쪽	이번 주에는 무엇을 공부할까? ②

1-1 $\dfrac{2}{5}=\dfrac{2\times2}{5\times2}=\dfrac{4}{10}=0.4$

1-2 $\dfrac{8}{25}=\dfrac{8\times4}{25\times4}=\dfrac{32}{100}=0.32$

2-1 (1) $\dfrac{7}{10}$ (2) $\dfrac{13}{10}\left(=1\dfrac{3}{10}\right)$

2-2 (1) $\dfrac{23}{100}$ (2) $\dfrac{147}{100}\left(=1\dfrac{47}{100}\right)$

3-1 (1) $\dfrac{4}{3}\left(=1\dfrac{1}{3}\right)$ (2) 35

3-2 (1) $\dfrac{15}{4}\left(=3\dfrac{3}{4}\right)$ (2) 60

4-1 (1) 7 (2) 14   **4-2** (1) 8 (2) 26

3-1 (1) $\dfrac{\overset{}{4}}{\underset{3}{15}}\times\dfrac{1}{\cancel{5}}=\dfrac{4}{3}\left(=1\dfrac{1}{3}\right)$

93쪽	개념 · 원리 확인

1-1 (위에서부터) $\dfrac{1}{10}$, 1.5   **1-2** 0.5

2-1
```
      0.7 5
4 ) 3.0 0
    2 8
      2 0
      2 0
        0
```

2-2
```
       2.4
5 ) 1 2.0
    1 0
      2 0
      2 0
        0
```

3-1 (1) 4.5 (2) 7.5
3-2 (1) 0.8 (2) 1.2
4-1 0.8   **4-2** 0.2

1-2 나누어지는 수가 $\dfrac{1}{10}$배이므로 몫도 $\dfrac{1}{10}$배가 됩니다.

   5 ➡ 0.5

3-1 (1)
```
      4.5
8 ) 3 6
    3 2
      4 0
      4 0
        0
```
(2)
```
      7.5
2 ) 1 5
    1 4
      1 0
      1 0
        0
```

3-2 (1)
```
         0.8
25 ) 2 0
     2 0 0
         0
```
(2)
```
       1.2
5 ) 6
    5
    1 0
    1 0
      0
```

95쪽	개념 · 원리 확인

1-1 $10÷5$ **1-2** (1) $44÷6$ (2) $24÷4$
2-1 23, 5, 4 / 4.5 6   **2-2** 60, 7, 8 / 8.6 1
3-1 (○)   **3-2** ㉡
       (   )

1-1 10.2를 반올림하여 일의 자리까지 나타내면 10입니다.

1-2 (1) 43.5를 반올림하여 일의 자리까지 나타내면 44입니다.

   (2) 24.2를 반올림하여 일의 자리까지 나타내면 24입니다.

2-1 22.8을 반올림하여 일의 자리까지 나타내면 23입니다.

2-2 60.27을 반올림하여 일의 자리까지 나타내면 60입니다.

3-1 $34 \div 8$ ➡ 약 4
$33.84 \div 8 = 4.23$

3-2 $29 \div 6$ ➡ 약 4
ⓛ $29.22 \div 6 = 4.87$

96~97쪽	**기초 집중 연습**
1-1 2.6	**1-2** 2.25
2-1	**2-2**
3-1 4.1 5	**3-2** 7.1 3
4-1 ( )(○)	**4-2** ⊙
연산 3.6	**5-1** $18 \div 5 = 3.6$, 3.6 cm
5-2 $27 \div 6 = 4.5$, 4.5 cm	
5-3 $13 \div 4 = 3.25$, 3.25 kg	

1-1
$$\begin{array}{r} 2.6 \\ 5 \overline{)1\ 3} \\ 1\ 0 \\ \hline 3\ 0 \\ 3\ 0 \\ \hline 0 \end{array}$$

1-2
$$\begin{array}{r} 2.2\ 5 \\ 8 \overline{)1\ 8} \\ 1\ 6 \\ \hline 2\ 0 \\ 1\ 6 \\ \hline 4\ 0 \\ 4\ 0 \\ \hline 0 \end{array}$$

2-1 $29 \div 4 = 7.25$
$60 \div 8 = 7.5$

2-2 $39 \div 5 = 7.8$
$26 \div 4 = 6.5$

3-1 $29 \div 7$ ➡ 약 4
$29.05 \div 7 = 4.15$

3-2 $36 \div 5$ ➡ 약 7
$35.65 \div 5 = 7.13$

4-1 나누어지는 수가 나누는 수보다 크면 몫이 1보다 큽니다.

4-2 나누어지는 수가 나누는 수보다 크면 몫이 1보다 큽니다.

5-2 정육각형은 변이 6개이고 길이가 같습니다.
➡ $27 \div 6 = 4.5$ (cm)

5-3 (사과 상자 한 개의 무게)
$=$ (전체 사과 상자의 무게) $\div$ (상자 수)
$=13 \div 4 = 3.25$ (kg)

99쪽	**개념 · 원리 확인**
1-1 6, 3, 3 / 3	**1-2** 8, 2, 6 / 6
2-1 6, 3, 2 / 2	**2-2** 8, 2, 4 / 4
3-1 2배	**3-2** 2배

3-1 $6 \div 3 = 2$, $12 \div 6 = 2$, $18 \div 9 = 2$, $24 \div 12 = 2$
➡ 초콜릿 수는 사탕 수의 2배입니다.

3-2 $4 \div 2 = 2$, $8 \div 4 = 2$, $12 \div 6 = 2$
➡ 남학생 수는 여학생 수의 2배입니다.

101쪽	**개념 · 원리 확인**
1-1 6, 5	**1-2** 3, 8
2-1 (1) 4, 5 (2) 5, 3	**2-2** (1) 4, 9 (2) 6, 7
3-1 1, 5	**3-2** 5, 6
4-1 (○) ( )	**4-2** 민하

3-1 색칠한 부분: 1칸
전체 : 5칸
➡ (색칠한 칸 수) : (전체 칸 수) $= 1 : 5$

3-2 색칠한 부분: 5칸
전체 : 6칸
➡ (색칠한 칸 수) : (전체 칸 수) $= 5 : 6$

정답 및 풀이

4-1 7에 대한 8의 비 ➡ 8 : 7
8에 대한 7의 비 ➡ 7 : 8

4-2 정우: 9와 2의 비 ➡ 9 : 2
민하: 2의 9에 대한 비 ➡ 2 : 9

102~103쪽　　기초 집중 연습

1-1 8, 2, 6 / 6　　　**1-2** 12, 3, 4 / 4
2-1 9 : 5　　　　　**2-2** 2 : 7
3-1 ㉡　　　　　　　**3-2** 정우
`기초` 7, 4　　　　　　**4-1** 7 : 4
4-2 12 : 5
4-3 (1) 11개　(2) 11 : 13　(3) 13 : 11

2-1 사탕 수에 대한 구슬 수의 비
➡ (구슬 수) : (사탕 수) = 9 : 5

2-2 분홍색 색연필 수의 하늘색 색연필 수에 대한 비
➡ (분홍색 색연필 수) : (하늘색 색연필 수) = 2 : 7

3-1 ㉠, ㉢ ➡ 3 : 4
㉡ ➡ 4 : 3

3-2 민호: 10에 대한 1의 비 ➡ 1 : 10
준희: 1과 10의 비 ➡ 1 : 10

4-1 (여학생 수) : (남학생 수) = 7 : 4

4-2 (초록색 풍선 수) : (노란색 풍선 수) = 12 : 5

4-3 (1) (축구공 수) = 24 - 13 = 11(개)
(2) (축구공 수) : (농구공 수) = 11 : 13
(3) (농구공 수) : (축구공 수) = 13 : 11

105쪽　　개념 · 원리 확인

1-1 비교하는 양, 기준량　**1-2** 11, 7

2-1 $\dfrac{3}{10}$　　　　　**2-2** $\dfrac{9}{4}\left(=2\dfrac{1}{4}\right)$

3-1 0.4　　　　　　　**3-2** 0.25

4-1 $\dfrac{9}{20}$　　　　　**4-2** $\dfrac{6}{5}\left(=1\dfrac{1}{5}\right)$

1-1 기호 :의 오른쪽에 있는 수가 기준량, 왼쪽에 있는
수가 비교하는 양입니다.

1-2 　　　7 : 11
　　비교하는 양　　　기준량

2-1 (비율) = $\dfrac{(비교하는 양)}{(기준량)}$ = $\dfrac{3}{10}$

2-2 (비율) = $\dfrac{(비교하는 양)}{(기준량)}$ = $\dfrac{9}{4}\left(=2\dfrac{1}{4}\right)$

3-1 (비율) = $\dfrac{(비교하는 양)}{(기준량)}$ = $\dfrac{2}{5}$ = $\dfrac{4}{10}$ = 0.4

3-2 (비율) = $\dfrac{(비교하는 양)}{(기준량)}$ = $\dfrac{1}{4}$ = $\dfrac{25}{100}$ = 0.25

4-1 20에 대한 9의 비 ➡ 9 : 20
(비율) = $\dfrac{(비교하는 양)}{(기준량)}$ = $\dfrac{9}{20}$

4-2 6의 5에 대한 비 ➡ 6 : 5
(비율) = $\dfrac{(비교하는 양)}{(기준량)}$ = $\dfrac{6}{5}\left(=1\dfrac{1}{5}\right)$

107쪽　　개념 · 원리 확인

1-1 $\dfrac{120}{2}$(=60)　　　**1-2** $\dfrac{165}{3}$(=55)

2-1 $\dfrac{4000}{2}$(=2000)　　**2-2** $\dfrac{12500}{10}$(=1250)

3-1 0.1　　　　　　　**3-2** 0.25

1-1 (걸린 시간에 대한 간 거리의 비율)
= $\dfrac{(간 거리)}{(걸린 시간)}$ = $\dfrac{120}{2}$ = 60

1-2 (걸린 시간에 대한 간 거리의 비율)
= $\dfrac{(간 거리)}{(걸린 시간)}$ = $\dfrac{165}{3}$ = 55

2-1 (넓이에 대한 인구의 비율)
= $\dfrac{(인구)}{(넓이)}$ = $\dfrac{4000}{2}$ = 2000

2-2 (넓이에 대한 인구의 비율)
= $\dfrac{(인구)}{(넓이)}$ = $\dfrac{12500}{10}$ = 1250

3-1 (흰색 물감 양에 대한 검은색 물감 양의 비율)

$$=\frac{(검은색\ 물감\ 양)}{(흰색\ 물감\ 양)}=\frac{20}{200}=\frac{1}{10}=0.1$$

3-2 (물 양에 대한 포도 원액 양의 비율)

$$=\frac{(포도\ 원액\ 양)}{(물\ 양)}=\frac{45}{180}=\frac{1}{4}=\frac{25}{100}=0.25$$

4-1 (세로에 대한 가로의 비율)$=\dfrac{(가로)}{(세로)}=\dfrac{21}{27}=\dfrac{7}{9}$

4-2 (넓이에 대한 인구의 비율)$=\dfrac{(인구)}{(넓이)}=\dfrac{6400}{8}=800$

4-3 (1) 초록 버스: $\dfrac{(간\ 거리)}{(걸린\ 시간)}=\dfrac{130}{2}=65$

파란 버스: $\dfrac{(간\ 거리)}{(걸린\ 시간)}=\dfrac{180}{3}=60$

108~109쪽 | 기초 집중 연습

1-1 $12,\ 15,\ \dfrac{12}{15}\left(=\dfrac{4}{5}=0.8\right)$

1-2 $15,\ 20,\ \dfrac{15}{20}\left(=\dfrac{3}{4}=0.75\right)$

2-1 ㉡　　　　**2-2** 영탁

3-1 0.1　　　　**3-2** 0.05

기초 $\dfrac{21}{27}\left(=\dfrac{7}{9}\right)$　　**4-1** $\dfrac{21}{27}\left(=\dfrac{7}{9}\right)$

4-2 $\dfrac{6400}{8}(=800)$

4-3 (1) $\dfrac{130}{2}(=65),\ \dfrac{180}{3}(=60)$　(2) 초록 버스

1-1 (비율)$=\dfrac{(비교하는\ 양)}{(기준량)}=\dfrac{12}{15}$

1-2 (비율)$=\dfrac{(비교하는\ 양)}{(기준량)}=\dfrac{15}{20}$

2-1 (비율)$=\dfrac{(비교하는\ 양)}{(기준량)}=\dfrac{12}{16}=\dfrac{3}{4}=\dfrac{75}{100}=0.75$

2-2 (비율)$=\dfrac{(비교하는\ 양)}{(기준량)}=\dfrac{4}{25}=\dfrac{16}{100}=0.16$

3-1 (소금물 양에 대한 소금 양의 비율)

$$=\frac{(소금\ 양)}{(소금물\ 양)}=\frac{10}{100}=\frac{1}{10}=0.1$$

3-2 (설탕물 양에 대한 설탕 양의 비율)

$$=\frac{(설탕\ 양)}{(설탕물\ 양)}=\frac{10}{200}=\frac{1}{20}=\frac{5}{100}=0.05$$

기초 (비율)$=\dfrac{(비교하는\ 양)}{(기준량)}=\dfrac{21}{27}=\dfrac{7}{9}$

111쪽 | 개념 · 원리 확인

1-1 52, 52　　　　**1-2** 64 %

2-1 (1) 100, 45　(2) 100, 73

2-2 (1) 54 %　(2) 42 %

3-1 0.15, 15　　　**3-2** $\dfrac{17}{100}$, 17

4-1 ×　　　　　**4-2** ㉠

1-2 (백분율)$=\dfrac{64}{100}=64$ %

2-2 (1) $\dfrac{27}{50}\times100=54$ (%)

(2) $0.42\times100=42$ (%)

3-1 $\dfrac{3}{20}=\dfrac{15}{100}=0.15,\ \dfrac{3}{20}=\dfrac{15}{100}=15$ %

3-2 $0.17\times100=17$ (%)

4-1 $\dfrac{2}{5}\times100=40$ (%)

4-2 ㉠ $\dfrac{3}{4}\times100=75$ (%)

113쪽 | 개념 · 원리 확인

1-1 200, 10　　　**1-2** 20 %

2-1 9, 45　　　　**2-2** 20 %

3-1 52, 26　　　**3-2** 20 %

1-1 (할인 금액)$=2000-1800=200$(원)

정답

풀이

정답 및 풀이

1-2 (할인 금액)$=5000-4000=1000$(원)

(할인율)$=\dfrac{(할인\ 금액)}{(원래\ 가격)}\times 100$

$\qquad =\dfrac{1000}{5000}\times 100=20\ (\%)$

2-2 (득표율)$=\dfrac{(득표\ 수)}{(전체\ 투표\ 수)}\times 100$

$\qquad =\dfrac{24}{120}\times 100=20\ (\%)$

3-2 (진하기)$=\dfrac{(설탕\ 양)}{(설탕물\ 양)}\times 100$

$\qquad =\dfrac{36}{180}\times 100=20\ (\%)$

114~115쪽	기초 집중 연습
1-1 32 %	**1-2** 35 %
2-1 75 %	**2-2** 80 %
3-1 (○)( )	**3-2** ㉠
4-1 20 %	**4-2** 12 %
기초 15	**5-1** 15 %
5-2 80 %	**5-3** 20 %

1-1 $\dfrac{8}{25}\times 100=32\ (\%)$

1-2 $\dfrac{7}{20}\times 100=35\ (\%)$

2-1 $\dfrac{3}{4}\times 100=75\ (\%)$

참고
(백분율)$=\dfrac{(색칠한\ 칸\ 수)}{(전체\ 칸\ 수)}\times 100\ (\%)$

2-2 $\dfrac{4}{5}\times 100=80\ (\%)$

3-1 $\dfrac{11}{20}\times 100=55\ (\%)$ ➡ 65 % > 55 %

3-2 ㉠ $\dfrac{3}{5}\times 100=60\ (\%)$ ➡ ㉠ 60 % > ㉡ 40 %

4-1 (진하기)$=\dfrac{25}{125}\times 100=20\ (\%)$

참고
(진하기)$=\dfrac{(소금\ 양)}{(소금물\ 양)}\times 100\ (\%)$

4-2 (진하기)$=\dfrac{30}{250}\times 100=12\ (\%)$

기초 $\dfrac{3}{20}\times 100=15\ (\%)$

5-1 (골 성공률)$=\dfrac{3}{20}\times 100=15\ (\%)$

참고
(골 성공률)$=\dfrac{(성공한\ 횟수)}{(전체\ 던진\ 횟수)}\times 100\ (\%)$

5-2 (신청률)$=\dfrac{56}{70}\times 100=80\ (\%)$

참고
(신청률)$=\dfrac{(신청한\ 학생\ 수)}{(전체\ 학생\ 수)}\times 100\ (\%)$

5-3 (할인 금액)$=8000-6400$
$\qquad =1600$(원)

(할인율)$=\dfrac{1600}{8000}\times 100$
$\qquad =20\ (\%)$

117쪽	개념 · 원리 확인
1-1 20 %	**1-2** 20 %
2-1 라면	**2-2** 분홍색
3-1 2배	**3-2** 2배

2-1 띠그래프의 길이가 가장 긴 항목은 라면입니다.

2-2 띠그래프의 길이가 가장 긴 항목은 분홍색입니다.

3-1 장구: 30 %, 해금: 15 %
➡ $30\div 15=2$(배)

3-2 기린: 40 %, 코끼리: 20 %
➡ $40\div 20=2$(배)

개념·원리 확인

1-1

좋아하는 운동별 학생 수

운동	축구	농구	야구	기타	합계
학생 수(명)	6	8	2	4	20
백분율(%)	30	40	10	20	100

1-2

혈액형별 학생 수

혈액형	A형	B형	O형	AB형	합계
학생 수(명)	12	18	24	6	60
백분율(%)	20	30	40	10	100

2-1

좋아하는 운동별 학생 수

0 10 20 30 40 50 60 70 80 90 100(%)

| 축구 (30 %) | 농구 (40 %) | 야구 10% | 기타 (20 %) |

2-2

혈액형별 학생 수

0 10 20 30 40 50 60 70 80 90 100(%)

| A형 (20 %) | B형 (30 %) | O형 (40 %) | AB형 (10%) |

3-1

여행하고 싶은 도시별 학생 수

운동	강릉	부산	여수	기타	합계
학생 수(명)	20	28	20	12	80
백분율(%)	25	35	25	15	100

여행하고 싶은 도시별 학생 수

0 10 20 30 40 50 60 70 80 90 100(%)

| 강릉 (25 %) | 부산 (35 %) | 여수 (25 %) | 기타 (15 %) |

3-2

취미 활동별 학생 수

취미	운동	음악	그림	기타	합계
학생 수(명)	25	10	5	10	50
백분율(%)	50	20	10	20	100

취미 활동별 학생 수

0 10 20 30 40 50 60 70 80 90 100(%)

| 운동 (50 %) | 음악 (20 %) | 그림 10% | 기타 (20 %) |

1-1 축구: $\frac{6}{20} \times 100 = 30$ (%), 농구: $\frac{8}{20} \times 100 = 40$ (%)

야구: $\frac{2}{20} \times 100 = 10$ (%), 기타: $\frac{4}{20} \times 100 = 20$ (%)

합계: $30 + 40 + 10 + 20 = 100$ (%)

1-2 A형: $\frac{12}{60} \times 100 = 20$ (%)

B형: $\frac{18}{60} \times 100 = 30$ (%)

O형: $\frac{24}{60} \times 100 = 40$ (%)

AB형: $\frac{6}{60} \times 100 = 10$ (%)

합계: $20 + 30 + 40 + 10 = 100$ (%)

2-1 참고

띠그래프 그리기
① 각 항목의 백분율을 구합니다.
② 각 항목의 백분율의 합계가 100 %인지 확인합니다.
③ 백분율의 크기만큼 선을 그어 띠를 나눕니다.
④ 각 항목의 내용과 백분율을 씁니다.
⑤ 제목을 씁니다.

기초 집중 연습

1-1

마을별 학생 수

마을	가	나	다	라	합계
학생 수(명)	14	10	8	8	40
백분율(%)	35	25	20	20	100

마을별 학생 수

0 10 20 30 40 50 60 70 80 90 100(%)

| 가 (35 %) | 나 (25 %) | 다 (20 %) | 라 (20 %) |

1-2

좋아하는 채소별 학생 수

채소	감자	고구마	오이	기타	합계
학생 수(명)	9	5	2	4	20
백분율(%)	45	25	10	20	100

좋아하는 채소별 학생 수

0 10 20 30 40 50 60 70 80 90 100(%)

| 감자 (45 %) | 고구마 (25 %) | 기타 (20 %) |

오이(10 %)

2-1 3배   **2-2** 2배

3-1 9명   **3-2** 60명

기초 수첩   **4-1** 수첩

4-2 태권도   **4-3** 민호

정답 및 풀이

2-1 음악: 30 %
게임: 10 %
➡ $30 \div 10 = 3$(배)

2-2 자전거: 30 %
스케이트: 15 %
➡ $30 \div 15 = 2$(배)

3-1 $3 \times 3 = 9$(명)

3-2 $30 \times 2 = 60$(명)

4-1 가장 많은 학생들이 좋아하는 학용품을 선물로 준비하는 것이 좋을 것입니다.

4-2 두 번째로 많은 학생들이 참여한 종목은 두 번째로 띠의 길이가 긴 태권도입니다.

4-3 띠그래프에서 항목의 수량은 알 수 없습니다.

1 $\underset{\text{비교하는 양}}{5} : \underset{\text{기준량}}{4}$

3 '■에 대한'에서 ■가 기준량입니다.
12에 대한 5의 비
$\underset{\text{(비교하는 양)}}{5} : \underset{\text{(기준량)}}{12}$

4 (비율)$=\dfrac{(비교하는\ 양)}{(기준량)}=\dfrac{3}{11}$

5 $\dfrac{2}{5} \times 100 = 40$ (%)

6 $24 \div 5 = 4.8$

7 김치찌개: $\dfrac{4}{20} \times 100 = 20$ (%)

기타: $\dfrac{3}{20} \times 100 = 15$ (%)

9 수현: $\dfrac{13}{25} \times 100 = 52$ (%)
➡ 45 % < 52 %

10 (귤 상자 한 개의 무게)
$=$(귤 상자 5개의 무게)÷(상자 수)
$=12 \div 5 = 2.4$ (kg)

122~123쪽 누구나 100점 맞는 테스트

1 4

2 100, 48

3 5 : 12

4 $\dfrac{3}{11}$

5 40 %

6 4.8

7 20, 15

8
좋아하는 반찬별 학생 수

0 10 20 30 40 50 60 70 80 90 100 (%)
달걀말이 (35 %) / 멸치볶음 (30 %) / 김치찌개 (20 %) / 기타 (15 %)

9 수현

10 $12 \div 5 = 2.4$, 2.4 kg

124~129쪽 특강 창의·융합·코딩

융합1 129회

융합2 32.25회

융합3 6군데

융합4 1.5 m

창의5 15 %

융합6 $\dfrac{2}{3}$

융합7 9장

코딩8 100, 20 %

융합9 $\dfrac{3}{8}$, 0.375

코딩10 1620원

창의11 ㉡

코딩12 24, 80

융합1 $28 + 24 + 32 + 45 = 129$(회)

융합2 $129 \div 4 = 32.25$(회)

융합3 (간격 수)$= 7 - 1 = 6$(군데)

> **참고**
>
> (간격 수)$=$(놓을 화분 수)-1

융합4 $9 \div 6 = 1.5$ (m)

창의5 전체 칸 수: 100칸, 주영이 방의 칸 수: 15칸

➡ $\dfrac{15}{100} = 15$ %

융합6 (비율)$= \dfrac{(세로)}{(가로)} = \dfrac{20}{30} = \dfrac{2}{3}$

융합7 (전체)$\times$(비율)$= 15 \times 0.6 = 9$(장)

> **다른 풀이**
>
> $\dfrac{60}{100} = \dfrac{3}{5} = \dfrac{9}{15}$ ➡ 9장

코딩8 $\dfrac{1}{5} \times 100 = 20$ (%)

코딩10 $5400 \times 0.3 = 1620$(원)

창의11 ㉠ $510 \div 4 = 127.5$(원) ㉡ $612 \div 5 = 122.4$(원)
➡ $127.5 > 122.4$이므로 ㉡이 더 쌉니다.

코딩12 햄버거: $\dfrac{24}{80} \times 100 = 30$ (%)

✳ 개념 ○✗ 퀴즈 정답

| 퀴즈 1 | ○ ✗ |
| 퀴즈 2 | ○ ✗ |

퀴즈 1

$$\begin{array}{r} 1.2\,5 \\ 4\overline{)5} \\ \underline{4} \\ 1\,0 \\ \underline{8} \\ 2\,0 \\ \underline{2\,0} \\ 0 \end{array}$$

퀴즈 2 $\underset{\text{비교하는 양}}{3} : \underset{\text{기준량}}{7}$

4주 여러 가지 그래프 ~ 직육면체의 부피와 겉넓이

✳ 개념 ○✗ 퀴즈

옳으면 ○에, 틀리면 ✗에 ○표 하세요.

 퀴즈 1

> 원그래프는 전체에 대한 각 부분의 비율을 원 모양에 나타낸 그래프입니다.

○　✗

 퀴즈 2

> $1\ m^3 = 100\ cm^3$입니다.

○　✗

정답은 32쪽에서 확인하세요.

132~133쪽 이번 주에는 무엇을 공부할까? ②

1-1 25 %	**1-2** 24 %
2-1 30 %	**2-2** 40 %
3-1 54 cm^2	**3-2** 25 cm^2

4-1 (위에서부터) 100, 100 / 10000

4-2 (1) 80000　(2) 4

1-1 $\dfrac{25}{100} \times 100 = 25$ (%)

1-2 $\dfrac{12}{50} \times 100 = 24$ (%)

2-1 전체 10칸 중에서 색칠한 부분이 3칸이므로 비율로 나타내면 $\dfrac{3}{10}$입니다.

➡ $\dfrac{3}{10} \times 100 = 30$ (%)

2-2 전체 5칸 중에서 색칠한 부분이 2칸이므로 비율로

나타내면 $\dfrac{2}{5}$입니다.

➡ $\dfrac{2}{5}\times100=40$ (%)

3-1 (직사각형의 넓이)=(가로)×(세로)

$\qquad\qquad\qquad\quad=9\times6=54$ (cm²)

3-2 (정사각형의 넓이)=(한 변의 길이)×(한 변의 길이)

$\qquad\qquad\qquad\qquad=5\times5=25$ (cm²)

4-1 참고

$\quad 1\,m^2=1\,m\times1\,m$

$\qquad\quad\;=100\,cm\times100\,cm$

$\qquad\quad\;=10000\,cm^2$

4-2 (1) ■ m²=■0000 cm²

$\quad$ (2) ■0000 cm²=■ m²

135쪽	**개념 · 원리 확인**
1-1 15 %	**1-2** 25 %
2-1 35 %	**2-2** 15 %
3-1 파랑	**3-2** 피아노
4-1 보라	**4-2** 플루트

1-1 독일: 15 %, 미국: 30 %, 호주: 20 %,
뉴질랜드: 35 %

1-2 선생님: 30 %, 의사: 25 %, 연예인: 30 %,
운동선수: 15 %

3-1 가장 넓은 부분을 차지하는 항목을 찾으면 파랑입니다.

3-2 가장 넓은 부분을 차지하는 항목을 찾으면 피아노입니다.

4-1 가장 좁은 부분을 차지하는 항목을 찾으면 보라입니다.

4-2 가장 좁은 부분을 차지하는 항목을 찾으면 플루트입니다.

137쪽	**개념 · 원리 확인**

1-1 60, 30 / 30, 15 $\qquad$ **1-2** 20, 40 / 5, 10

2-1 좋아하는 동물별 학생 수 $\qquad$ **2-2** 취미별 학생 수

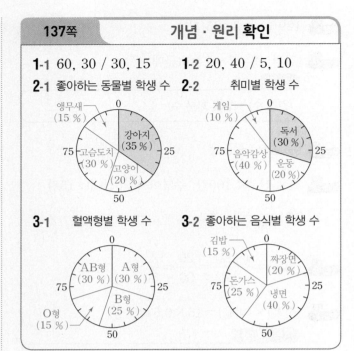

3-1 혈액형별 학생 수 $\qquad$ **3-2** 좋아하는 음식별 학생 수

1-1 $(백분율)=\dfrac{(좋아하는\ 동물별\ 학생\ 수)}{(전체\ 학생\ 수)}\times100$

고슴도치: $\dfrac{60}{200}\times100=30$ (%),

앵무새: $\dfrac{30}{200}\times100=15$ (%)

1-2 $(백분율)=\dfrac{(취미별\ 학생\ 수)}{(전체\ 학생\ 수)}\times100$

음악감상: $\dfrac{20}{50}\times100=40$ (%),

게임: $\dfrac{5}{50}\times100=10$ (%)

2-1 차지하는 부분만큼 선을 그어 원을 나누고 각 항목의 내용과 백분율을 씁니다.

참고

· 원그래프로 나타내기
① 전체 크기에 대한 각 항목의 백분율 구하기
② 백분율의 합계가 100 %가 되는지 확인하기
③ 각 항목이 차지하는 백분율만큼 원 나누기
④ 각 항목의 내용과 백분율 쓰기
⑤ 원그래프의 제목 쓰기

주의

원을 나눌 때 원의 중심에서 원 둘레의 눈금까지 선으로 이어서 그려야 합니다.

138~139쪽 · 기초 집중 연습

1-1 (1) 과학 (2) 수학 **1-2** (1) 박물관 (2) 고궁

2-1 30, 15, 15, 100 / 좋아하는 과일별 학생 수

2-2 40, 25, 15, 100 / 받고 싶은 생일 선물별 학생 수

기초 2배

3-1 70명

3-2 96명

3-3 24명

1-1 (1) 가장 넓은 부분을 차지하는 항목을 찾으면 과학입니다.

(2) 두 번째로 넓은 부분을 차지하는 항목을 찾으면 수학입니다.

1-2 (1) 동물원과 박물관이 차지하는 비율은 15 %로 같습니다.

(2) 가장 좁은 부분을 차지하는 항목을 찾으면 고궁입니다.

2-1 귤: $\dfrac{90}{300}\times100=30$ (%),

배: $\dfrac{45}{300}\times100=15$ (%),

복숭아: $\dfrac{45}{300}\times100=15$ (%),

합계: $40+30+15+15=100$ (%)

2-2 책: $\dfrac{160}{400}\times100=40$ (%),

게임기: $\dfrac{100}{400}\times100=25$ (%),

기타: $\dfrac{60}{400}\times100=15$ (%),

합계: $20+40+25+15=100$ (%)

기초 봄: 40 %, 가을: 20 %

➡ $40\div20=2$(배)

3-1 봄에 태어난 학생 수는 가을에 태어난 학생 수의 2배입니다.

➡ 봄에 태어난 학생은 $35\times2=70$(명)입니다.

참고

백분율이 ■배이면 실제 학생 수도 ■배입니다.

3-2 나비: 16 %, 매미: 48 %

매미를 좋아하는 학생 수는 나비를 좋아하는 학생 수의 $48\div16=3$(배)입니다.

➡ 매미를 좋아하는 학생은 $32\times3=96$(명)입니다.

3-3 잠자리: 24 %, 무당벌레: 12 %

무당벌레를 좋아하는 학생 수는 잠자리를 좋아하는 학생 수의 $12\div24=\dfrac{1}{2}$(배)입니다.

➡ 무당벌레를 좋아하는 학생은 $48\times\dfrac{1}{2}=24$(명)입니다.

141쪽 · 개념·원리 확인

1-1 <, >, > **1-2** >, >, <

2-1 없습니다. **2-2** 없습니다.

3-1 6개, 8개 **3-2** 16개, 27개

4-1 나 **4-2** 나

2-1 두 직육면체의 가로, 세로, 높이는 각각 맞대어 비교할 수 있지만 어느 직육면체의 부피가 더 큰지 정확히 비교할 수 없습니다.

3-1 가: $3\times2=6$(개)

나: 한 층에 $2\times2=4$(개)씩 2층이므로 $4\times2=8$(개)입니다.

3-2 가: 한 층에 $4\times2=8$(개)씩 2층이므로 $8\times2=16$(개)입니다.

나: 한 층에 $3\times3=9$(개)씩 3층이므로 $9\times3=27$(개)입니다.

4-1 6개<8개이므로 부피가 더 큰 상자는 나입니다.

4-2 16개<27개이므로 부피가 더 큰 상자는 나입니다.

1-1 ( )(○)　　**1-2** 1 세제곱센티미터
2-1 2, 10, 10　　**2-2** 3, 12, 12
3-1 36, 36　　**3-2** 32, 32

1-1 한 모서리의 길이가 1 cm인 정육면체의 부피를 1 cm³라 씁니다.

1-2 1 cm³는 1 세제곱센티미터라 읽습니다.

2-1 한 층에 5개씩 2층이므로 5×2＝10(개)입니다.
➡ 10 cm³

2-2 한 층에 2×2＝4(개)씩 3층이므로
4×3＝12(개)입니다. ➡ 12 cm³

3-1 한 층에 4×3＝12(개)씩 3층이므로
12×3＝36(개)입니다. ➡ 36 cm³

3-2 한 층에 4×2＝8(개)씩 4층이므로
8×4＝32(개)입니다. ➡ 32 cm³

1-1 나　　**1-2** 가
2-1 12, 12 / ＝　　**2-2** 8, 9 / ＜
3-1 18, 18 / ＝　　**3-2** 12, 16 / ＜
[기초] 4, 4, 8, 8　　**4-1** 27 cm³
4-2 42 cm³　　**4-3** 2 cm³

1-1 가, 나의 세로와 높이가 같으므로 가로를 비교하면
(가의 부피)＜(나의 부피)입니다.

1-2 가, 나의 가로와 세로가 같으므로 높이를 비교하면
(가의 부피)＞(나의 부피)입니다.

2-1 가: 한 층에 2×3＝6(개)씩 2층이므로
6×2＝12(개)입니다.
나: 한 층에 2×2＝4(개)씩 3층이므로
4×3＝12(개)입니다.
➡ (가의 부피)＝(나의 부피)

> **참고**
> 담은 블록의 수를 세어 직육면체 모양 상자의 부피를 비교할 수 있습니다.

2-2 가: 한 층에 2×2＝4(개)씩 2층이므로
4×2＝8(개)입니다.
나: 한 층에 3개씩 3층이므로 3×3＝9(개)입니다.
➡ (가의 부피)＜(나의 부피)

3-1 가: 한 층에 2×3＝6(개)씩 3층이므로
6×3＝18(개)입니다.
나: 한 층에 3×3＝9(개)씩 2층이므로
9×2＝18(개)입니다.
➡ (가의 부피)＝(나의 부피)

> **참고**
> (쌓기나무의 수)
> ＝(한 층에 쌓은 쌓기나무의 수)×(층 수)

3-2 가: 3×4＝12(개)
나: 한 층에 2×4＝8(개)씩 2층이므로
8×2＝16(개)입니다.
➡ (가의 부피)＜(나의 부피)

[기초] 부피가 1 cm³인 쌓기나무가 모두 8개이므로 정육면체의 부피는 8 cm³입니다.

> **참고**
> 부피가 1 cm³인 쌓기나무 ■개의 부피는 ■ cm³입니다.

4-1 쌓기나무는 한 층에 3×3＝9(개)씩 3층이므로
9×3＝27(개)입니다. ➡ 27 cm³

4-2 쌓기나무는 한 층에 7×2＝14(개)씩 3층이므로
14×3＝42(개)입니다. ➡ 42 cm³

4-3 가: 쌓기나무는 한 층에 3×3＝9(개)씩 2층이므로
9×2＝18(개)입니다. ➡ 18 cm³
나: 쌓기나무는 한 층에 4×2＝8(개)씩 2층이므로
8×2＝16(개)입니다. ➡ 16 cm³
➡ 18－16＝2 (cm³)

> **다른 풀이**
> 가의 쌓기나무의 수: 18개
> 나의 쌓기나무의 수: 16개
> ➡ 가는 나보다 18－16＝2(개) 더 많이 사용하여 쌓았으므로 부피가 1 cm³인 쌓기나무 2개의 부피인 2 cm³만큼 가의 부피가 나의 부피보다 큽니다.

147쪽 **개념 · 원리 확인**

1-1 3, 12   **1-2** 2, 2, 16
2-1 4, 3, 36   **2-2** 2, 5, 50
3-1 192 cm³   **3-2** 216 cm³

1-1 $2 \times 2 \times 3 = 12$(개) ➜ 12 cm³

> 참고
>
> (직육면체의 부피)=(가로)×(세로)×(높이)

3-1 $6 \times 4 \times 8 = 192$ (cm³)

3-2 $4 \times 9 \times 6 = 216$ (cm³)

149쪽 **개념 · 원리 확인**

1-1 2, 2, 8   **1-2** 3, 3, 27
2-1 4, 4, 4, 64   **2-2** 8, 8, 8, 512
3-1 1000 cm³   **3-2** 8000 cm³

1-1 $2 \times 2 \times 2 = 8$(개) ➜ 8 cm³

> 참고
>
> (정육면체의 부피)=(한 모서리의 길이)
> ×(한 모서리의 길이)×(한 모서리의 길이)

1-2 $3 \times 3 \times 3 = 27$(개) ➜ 27 cm³

3-1 $10 \times 10 \times 10 = 1000$ (cm³)

3-2 $20 \times 20 \times 20 = 8000$ (cm³)

150~151쪽 **기초 집중 연습**

1-1 18 cm³   **1-2** 32 cm³
2-1 125 cm³   **2-2** 343 cm³
3-1 27 cm³   **3-2** 216 cm³
4-1 가   **4-2** 가
기초 6 cm³
5-1 1, 3, 6(또는 3, 1, 6) / 6 cm³
5-2 12×9×4=432, 432 cm³
5-3 (1) 10 cm (2) 350 cm³

1-1 $6 \times 3 \times 1 = 18$ (cm³)

1-2 $4 \times 2 \times 4 = 32$ (cm³)

2-1 $5 \times 5 \times 5 = 125$ (cm³)

2-2 $7 \times 7 \times 7 = 343$ (cm³)

3-1 $3 \times 3 \times 3 = 27$ (cm³)

3-2 $6 \times 6 \times 6 = 216$ (cm³)

4-1 (가의 부피)=$4 \times 4 \times 3 = 48$ (cm³)
   (나의 부피)=$5 \times 4 \times 2 = 40$ (cm³)
   ➜ 48 cm³ > 40 cm³

4-2 (가의 부피)=$5 \times 5 \times 4 = 100$ (cm³)
   (나의 부피)=$6 \times 4 \times 3 = 72$ (cm³)
   ➜ 100 cm³ > 72 cm³

기초 $2 \times 1 \times 3 = 6$ (cm³)

> 참고
>
> 직육면체의 가로, 세로, 높이를 알면 부피를 구할 수 있습니다.

5-3 (1) $5 \times 2 = 10$ (cm)
   (2) $5 \times 10 \times 7 = 350$ (cm³)

153쪽 **개념 · 원리 확인**

1-1 ( )(○)   **1-2** 1 세제곱미터
2-1 2, 1, 8   **2-2** 2, 2, 8
3-1 20 m³   **3-2** 12 m³
4-1 27 m³   **4-2** 64 m³

1-1 한 모서리의 길이가 1 m인 정육면체의 부피를 1 m³라 씁니다.

1-2 1 m³는 1 세제곱미터라 읽습니다.

3-1 $2 \times 5 \times 2 = 20$ (m³)

3-2 $4 \times 2 \times 1.5 = 12$ (m³)

4-1 $3 \times 3 \times 3 = 27$ (m³)

4-2 $4 \times 4 \times 4 = 64$ (m³)

정답
풀이

155쪽 · 개념 · 원리 확인

1-1 1, 3, 6(또는 3, 1, 6) /
100, 300, 6000000(또는 300, 100, 6000000) /
6000000

1-2 3, 3, 27 / 300, 300, 27000000 / 27000000

2-1 (1) 1000000 (2) 3000000

2-2 (1) 1 (2) 15

3-1 24000000 cm³　　**3-2** 8000000 cm³

4-1 24 m³　　**4-2** 8 m³

3-1 $400 \times 200 \times 300 = 24000000 \ (\text{cm}^3)$

3-2 $200 \times 200 \times 200 = 8000000 \ (\text{cm}^3)$

4-1 1000000 cm³＝1 m³이므로 직육면체의 부피는
24000000 cm³＝24 m³입니다.

> **다른 풀이**
> 400 cm＝4 m, 200 cm＝2 m, 300 cm＝3 m
> ➡ $4 \times 2 \times 3 = 24 \ (\text{m}^3)$

4-2 1000000 cm³＝1 m³이므로 정육면체의 부피는
8000000 cm³＝8 m³입니다.

> **다른 풀이**
> 200 cm＝2 m
> ➡ $2 \times 2 \times 2 = 8 \ (\text{m}^3)$

156~157쪽 · 기초 집중 연습

1-1 30 m³　　　　**1-2** 216 m³

2-1 ＞　　　　　　**2-2** ＞

3-1 36 m³　　　　**3-2** 64 m³

4-1 3 m³　　　　　**4-2** 6 m³

기초 7200000　　**5-1** 7200000 cm³

5-2 2.5 m³

5-3 (1) 2.8 m³ (2) 2800000 cm³

2-1 21000000 cm³＝21 m³이므로 21 m³＞4 m³입니다.

2-2 3000000 cm³＝3 m³이므로 3.7 m³＞3 m³입니다.

3-1 300 cm＝3 m, 400 cm＝4 m
➡ $3 \times 3 \times 4 = 36 \ (\text{m}^3)$

> **다른 풀이**
> 300 × 300 × 400 ＝ 36000000 (cm³)
> ➡ 36000000 cm³＝36 m³

3-2 400 cm＝4 m
➡ $4 \times 4 \times 4 = 64 \ (\text{m}^3)$

4-1 150 cm＝1.5 m
➡ $1 \times 1.5 \times 2 = 3 \ (\text{m}^3)$

> **주의**
> 가로, 세로, 높이의 단위가 같은지 확인해야 함에 주의합니다. 부피를 몇 m³로 구해야 하므로 가로, 세로, 높이의 단위를 몇 m로 나타내어 구하면 편리합니다.

4-2 400 cm＝4 m, 300 cm＝3 m
➡ $4 \times 0.5 \times 3 = 6 \ (\text{m}^3)$

5-1 1 m³＝1000000 cm³
➡ 7.2 m³＝7200000 cm³

5-2 1000000 cm³＝1 m³
➡ 2500000 cm³＝2.5 m³

5-3 (1) 종이 분리수거 상자의 부피는 1.4 m³의 2배이므로 2.8 m³입니다.
(2) 2.8 m³＝2800000 cm³

159쪽 · 개념 · 원리 확인

1-1 8, 6, 12, 52　　**1-2** 30, 18, 15, 126

2-1 8, 6, 2, 52　　　**2-2** 30, 18, 126

3-1 2, 52　　　　　　**3-2** 6, 126

4-1 130 cm²　　　　**4-2** 48 cm²

4-1 $(25 + 20 + 20) \times 2 = 130 \ (\text{cm}^2)$

> **다른 풀이**
> (두 밑면의 넓이의 합)＋(옆면의 넓이의 합)
> ＝25×2＋(20＋20＋20＋20)＝130 (cm²)

4-2 $(4 + 10 + 10) \times 2 = 48 \ (\text{cm}^2)$

161쪽	**개념 · 원리 확인**

1-1 9, 9, 9, 9, 54　　　**1-2** 16, 16, 16, 16, 96
2-1 6, 54　　　　　　　**2-2** 6, 96
3-1 36 cm²　　　　　　**3-2** 25 cm²
4-1 216 cm²　　　　　 **4-2** 150 cm²

1-1 (여섯 면의 넓이의 합)
　　　$=3\times3+3\times3+3\times3+3\times3+3\times3+3\times3$
　　　$=9+9+9+9+9+9=54$ (cm²)

2-1 (한 면의 넓이)$\times6$
　　　$=$(한 모서리의 길이)$\times$(한 모서리의 길이)$\times6$
　　　$=3\times3\times6=54$ (cm²)

3-1 (한 면의 넓이)$=6\times6=36$ (cm²)

3-2 (한 면의 넓이)$=5\times5=25$ (cm²)

4-1 (한 면의 넓이)$\times6=36\times6=216$ (cm²)

4-2 (한 면의 넓이)$\times6=25\times6=150$ (cm²)

162~163쪽	**기초 집중 연습**

1-1 158 cm²　　　　　**1-2** 188 cm²
2-1 6 cm²　　　　　　**2-2** 384 cm²
3-1 108 cm²　　　　　**3-2** 76 cm²
기초 600 cm²　　　**4-1** 10, 10, 600 / 600 cm²
4-2 $9\times9\times6=486$, 486 cm²
4-3 294 cm²

2-1 $1\times1\times6=6$ (cm²)

2-2 $8\times8\times6=384$ (cm²)

3-1

4 cm
3 cm

(직육면체의 겉넓이)
$=$(빗금 친 면의 넓이)$\times2+$(색칠한 면의 넓이)
$=(4\times3)\times2+84$
$=24+84=108$ (cm²)

3-2

5 cm
2 cm

(직육면체의 겉넓이)
$=$(빗금 친 면의 넓이)$\times2+$(색칠한 면의 넓이)
$=(5\times2)\times2+56$
$=20+56=76$ (cm²)

4-1 정육면체는 모든 모서리의 길이가 같습니다.
　　 $10\times10\times6=600$ (cm²)

4-3 (한 모서리의 길이)$=21\div3=7$ (cm)
　　 (상자의 겉넓이)$=7\times7\times6=294$ (cm²)

164~165쪽	**누구나 100점 맞는 테스트**

1 (○)(　)　　　　**2** 7, 7 / 343
3 (1) 8000000　(2) 150
4 20 %　　　　　　　**5** 달리기
6 35, 20, 30, 15
7 좋아하는 꽃별 학생 수　　**8** 214 cm²
　　　　　　　　　　　　　　9 12 m³
기타(15 %)　장미(35 %)
백합(30 %)　튤립(20 %)　　**10** 4 cm³

2 (정육면체의 부피)
　　$=$(한 모서리의 길이)$\times$(한 모서리의 길이)
　　　$\times$(한 모서리의 길이)

5 가장 넓은 부분을 차지하는 항목을 찾으면 달리기입니다.

8 (한 밑면의 넓이)$\times2+$(옆면의 넓이)
　　$=(6\times5)\times2+(6+5+6+5)\times7$
　　$=60+154=214$ (cm²)

9 150 cm$=1.5$ m
　　➡ $4\times2\times1.5=12$ (m³)

10 가: $2\times5\times2=20$(개) ➡ 20 cm³
　　 나: $3\times4\times2=24$(개) ➡ 24 cm³
　　 ➡ $24-20=4$ (cm³)

166~171쪽 **특강** 창의·융합·코딩

융합1 (1) ○ (2) × (3) × (4) ○

융합2 호두

창의3 ㉡

창의4 4500 cm³

창의5 1800 cm²

창의6 (1) 예)

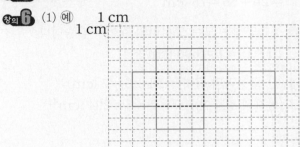

, 52 cm²

(2) 예)

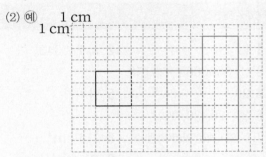

, 54 cm²

융합7 20, 25, 30, 10, 100

융합8

관심있는 동물별 학생 수

관심있는 동물별 학생 수

코딩9 900000 cm³

코딩10 140 m³

코딩11 294 cm²

창의12 48조각

창의13 (1) 높아진에 ○표 (2) 120 cm³ (3) 120 cm³

창의6 **참고**

전개도를 점선을 따라 접을 때 맞닿는 선분의 길이를 생각하여 접히는 부분은 점선으로, 나머지 부분은 실선으로 그립니다.

융합7 수달: $\frac{8}{40} \times 100 = 20$ (%),

여우: $\frac{10}{40} \times 100 = 25$ (%),

호랑이: $\frac{12}{40} \times 100 = 30$ (%),

표범: $\frac{4}{40} \times 100 = 10$ (%),

합계: $15 + 20 + 25 + 30 + 10 = 100$ (%)

코딩9 ■ = 0.9 ➡ $0.9 \times 1000000 = 900000$

➡ ▲ = 900000 ➡ 출력값: 900000 cm³

코딩10 ▲ = 140000000

➡ ■ $\times 1000000 = 140000000$

➡ ■ = 140 ➡ 입력값: 140 m³

코딩11 ■ = 7 ➡ $7 \times 7 = ●$, ● = 49

➡ $49 \times 6 = ▲$, ▲ = 294

➡ 출력값: 294 cm²

창의12 가로, 세로, 높이를 각각 몇 조각씩 나눌 수 있는지 알아봅니다.

가로: $20 \div 5 = 4$(조각)

세로: $20 \div 5 = 4$(조각)

높이: $15 \div 5 = 3$(조각)

➡ (전체 조각 수) = $4 \times 4 \times 3 = 48$(조각)

창의13 (2) $12 \times 5 \times 2 = 120$ (cm³)

(3) 돌의 부피는 높아진 물의 높이만큼의 부피와 같으므로 120 cm³입니다.

✻ 개념 ○✕ 퀴즈 정답

퀴즈1 ○ ✕

퀴즈2 ○

퀴즈1 원그래프는 전체에 대한 각 부분의 비율을 원 모양에 나타낸 그래프이므로 옳은 말입니다.

퀴즈2 1 m³ = 1000000 cm³이므로 틀린 말입니다.

연산이 즐거워지는 공부습관

똑똑한 하루
빅터연산

기초부터 튼튼하게

수학의 기초는 연산!
빅터가 쉽고 재미있게 알려주는 연산 원리와
집중 연산을 통해 연산 해결 능력 강화

게임보다 재미있다

지루하고 힘든 연산은 NO!
수수께끼, 연상퀴즈, 실생활 문제로
쉽고 재미있는 연산 YES!

더! 풍부한 학습량

수·연산 문제를 충분히 담은 풍부한 학습량
교재 표지의 QR을 통해 모바일 학습 제공
교과와 연계되어 학기용 교재로도 OK

초등 연산의 빅데이터!
기초 탄탄 연산서
예비초~초2(각 A~D)
초3~6(각 A~B)

정답은
이안에
있어!